Selbstverletzung
als Bewältigungshandeln junger Frauen

Mabuse-Verlag
Wissenschaft 64

*Stefanie Ackermann*, Jahrgang 1977, Diplom-Sozialarbeiterin/Diplom-Sozial-pädagogin (FH), Studium an der Hochschule für Sozialwesen Esslingen. Sie arbeitet in einem Beratungszentrum des Jugendamts Stuttgart.

Stefanie Ackermann

# Selbstverletzung
# als Bewältigungshandeln junger Frauen

Mabuse-Verlag
Frankfurt am Main

**Bibliografische Information Der Deutschen Bibliothek**
Die Deutsche Bibliothek verzeichnet diese Publikation in der Deutschen
Nationalbibliografie; detaillierte bibliografische Daten sind im Internet
unter http://dnb.ddb.de abrufbar.

3. Auflage 2007
© 2002 Mabuse-Verlag GmbH
Kasseler Str. 1a
60486 Frankfurt am Main
Tel.: 0 69 / 70 79 96-14
Fax: 0 69 / 70 41 52
www.mabuse-verlag.de

Druck: Prisma-Verlagsdruckerei, Frankfurt am Main
ISBN: 978-3-938304-04-3
Printed in Germany

# Inhaltsverzeichnis

Geleitwort ........................................................................................... 9

Einleitung ......................................................................................... 11

1. Selbstverletzung – eine begriffliche Annäherung ...................... 15

   1.1. Formen der Selbstschädigung ........................................................ 15

      1.1.1. »Alltägliche« Formen der Selbstschädigung ............................. 15

      1.1.2. Selbstschädigung als Krankheit ........................................ 17

         1.1.2.1. Artifizielle Erkrankungen ......................................... 18

         1.1.2.2. (Offene) Selbstverletzung - Selbstverletzendes Verhalten ......... 20

   1.2. Überschneidungsbereiche - Zusammenhänge - Abgrenzungen ...... 21

      1.2.1. Das Borderline-Syndrom ............................................... 21

      1.2.2. Krankheiten mit selbstschädigendem Charakter ...................... 24

2. Selbstverletzendes Verhalten junger Frauen ............................ 27

   2.1. Die Problematik der Selbstverletzung .......................................... 27

      2.1.1. Häufigkeit und Verbreitung der Selbstverletzung ................... 27

      2.1.2. Formen der Selbstverletzung .......................................... 29

      2.1.3. Diagnose der Selbstverletzung ........................................ 30

   2.2. Hintergründe und Entstehungszusammenhänge ........................... 31

      2.2.1. Erfahrungshintergründe ............................................... 31

         2.2.1.1. Seelische und körperliche Misshandlung ......................... 32

         2.2.1.2. Sexueller Missbrauch ............................................ 33

         2.2.1.3. Krankheit ....................................................... 35

         2.2.1.4. Beziehungsabbrüche ............................................. 35

      2.2.2. Die Posttraumatische Belastungsstörung als Folge
         traumatischer Ereignisse ............................................. 37

   2.3. Funktion und Dynamik der Selbstverletzung ............................... 39

      2.3.1. Die Bewältigung von Gefühlen ........................................ 40

2.3.2.  Wichtige Aspekte von Dynamik und Funktion ............................... 43

  2.3.2.1.  Selbstverletzung und Suizid.................................................. 44

  2.3.2.2.  Biologische Aspekte - Selbstverletzung als Sucht? ..................... 45

  2.3.2.3.  Selbstverletzung als nachahmendes Verhalten ............................. 47

  2.3.2.4.  Kommunikative Aspekte der Selbstverletzung............................ 48

2.3.3.  Selbstverletzung und Beziehungen ................................................ 49

  2.3.3.1.  Die Familie........................................................................ 49

  2.3.3.2.  Die Öffentlichkeit .............................................................. 51

  2.3.3.3.  Der Professionelle Bereich .................................................. 52

**3.  Selbstverletzung und Weiblichkeit ......................................... 53**

  **3.1.  Weibliche Sozialisation ..................................................... 53**

  3.1.1.  Emotionale Sozialisation der Frau .................................... 54

  3.1.2.  Ursprung geschlechtsspezifischer Verhaltenserwartungen ............. 58

  **3.2.  Gesellschaftliche Situation ............................................... 58**

  3.2.1.  Individualisierung als wichtiger Aspekt der Modernisierung .......... 59

  3.2.2.  Bedeutung der Individualisierung für die unterschiedlichen
          Lebensalter ....................................................................... 61

  3.2.3.  Durch die Individualisierung entstehende
          Bewältigungsaufgaben junger Frauen ..................................... 63

  **3.3.  Der weibliche Körper ........................................................ 67**

  3.3.1.  Die Bedeutung des Körpers beim Selbstverletzenden
          Verhalten.......................................................................... 67

  3.3.2.  Die Bedeutung des Körpers bei Essstörungen -
          Parallelen zur Selbstverletzung........................................... 69

  3.3.3.  Der Körper als »Schauplatz« für Probleme ........................... 74

**4.  Lebensbewältigung durch Selbstverletzung ........................... 78**

  **4.1.  Bewältigung .................................................................... 78**

  4.1.1.  Definition und Kennzeichen der Bewältigung....................... 78

  4.1.2.  Gründe für die Wahl der Bewältigungserklärung.................... 79

**4.2.    Bewältigungsmodelle** ........................................................................ **80**

4.2.1.  Das Stress-Coping-Modell .............................................................. 81

4.2.1.1.  Grundlagen des Stress-Coping-Modells ........................................ 81

4.2.1.2.  Das Stress-Coping-Modell zur Erklärung von Selbstverletzung
bei jungen Frauen ........................................................................ 84

4.2.2.  Das Lebensbewältigungskonzept ..................................................... 87

4.2.2.1.  Grundlagen des Lebensbewältigungskonzepts ............................... 88

4.2.2.2.  Das Lebensbewältigungskonzept zur Erklärung von Selbstverletzung
bei jungen Frauen ........................................................................ 90

4.2.3.  Die Eignung anderer Modelle zur Erklärung von
Selbstverletzung bei jungen Frauen ................................................. 93

**5.    Selbstverletzung - ein Handlungsfeld der Sozialen Arbeit** ................... **96**

**5.1.    Grundsätze professioneller Sozialer Arbeit** ................................... **96**

5.1.1.  Die Lebensweltorientierung .......................................................... 96

5.1.2.  Ressourcenorientierung ................................................................ 99

5.1.3.  Empowerment ............................................................................ 102

**5.2.    Konsequenzen für die Soziale Arbeit im Zusammenhang
mit dem Selbstverletzenden Verhalten junger Frauen** ................. **103**

5.2.1.  Elemente der Begleitung von jungen Frauen mit
Selbstverletzendem Verhalten durch Soziale Arbeit ..................... 104

5.2.2.  Angebote Sozialer Arbeit für junge Frauen mit
Selbstverletzendem Verhalten und Anforderungen an diese
Angebote .................................................................................. 108

5.2.3.  Notwendige Entwicklungen in der Sozialen Arbeit mit von
Selbstverletzung Betroffenen ...................................................... 110

5.2.4.  Über die Selbstverletzung hinausgehende
Handlungsnotwendigkeiten für die Soziale Arbeit ....................... 111

5.2.5.  Primärprävention von Selbstverletzung als Bestätigung der
Notwendigkeit und des Ausbaus bestehender Handlungsfelder
der Sozialen Arbeit .................................................................... 113

**Schlusswort** ........................................................................................... **116**

**Literaturverzeichnis** .............................................................................. **118**

# Geleitwort

Die Selbstverletzung junger Menschen, insbesondere junger Frauen, ist bis in die jüngste Zeit ein wenig beachtetes Phänomen geblieben. Die öffentlich geführten Diskussionen im Bereich des Kinderschutzes oder im Bereich der Frauenthemen beschäftigten sich überwiegend mit Essstörungen oder Suchtfragen, obwohl Selbstverletzung eine ähnliche Bedeutung hat. Dies mag damit zusammenhängen, dass die Selbstverletzung von Mädchen und jungen Frauen oft im Verborgenen bleibt.

Gleichwohl nimmt das Phänomen in unserer Gesellschaft in beunruhigender Weise zu. Die Ursachenzusammenhänge, sowie das Ausmaß des Problems in seinen verschiedenen Dimensionen, sind allerdings noch nicht hinreichend bekannt und diskutiert. Das betrifft sowohl die allgemeine gesellschaftliche Diskussion als auch die psycho-soziale Arbeit. Es gilt, die Gründe für die Zunahme des Problems zu erörtern, aus der Ursachenspekulation herauszukommen und Erklärungsmöglichkeiten für das Phänomen als solches und für die subjektive Bedeutung für die sich selbst verletzenden Menschen zu systematisieren. Neben der Entwicklung therapeutischer Interventionsmöglichkeiten und neben der Entwicklung präventiver Ansätze benötigen vor allem Eltern und Sozialpädagoginnen Handlungsmöglichkeiten für den Umgang mit den betroffenen Mädchen oder Frauen im familiären und beruflichen Alltag. Es gibt hier viel zu tun.

Frau Ackermann hat sich mutig aufgemacht, das Phänomen der Selbstverletzung für die Soziale Arbeit zu bearbeiten. Das vorliegende Buch ist aus einer Diplomarbeit entstanden, die von der Autorin an der Fachhochschule Esslingen – Hochschule für Sozialwesen Esslingen erarbeitet und von uns betreut wurde.

Frau Ackermann ist davon ausgegangen, dass in der Sozialen Arbeit und in einer sozialarbeitswissenschaftlichen Theorieperspektive zentrale Erklärungs- und Handlungsansätze für die Selbstverletzung bei jungen Frauen liegen, die bisher noch nicht explizit herausgearbeitet worden sind. Sie hat sich vorgenommen, einen Überblick über das vielfältige und unübersichtliche Problem „Selbstverletzung" zu geben. Einen Überblick, der das noch vorherrschende Tabu und eine einseitig pathologisierende Sicht von Selbstverletzung aufzuheben hilft und der die Möglichkeiten, Ansatzpunkte und Aufgaben psycho-sozialer Arbeit aufzeigt. Frau Ackermann hat dafür den

Erklärungsansatz der Bewältigung gewählt, der Erklärungs- und Handlungswissen für das selbstverletzende Verhalten junger Frauen bietet und auch anderen Berufsgruppen die Ansätze professioneller Sozialer Arbeit in diesem Bereich verdeutlichen und erschließen kann.

Wir meinen, dass es ihr gut gelungen ist, den beabsichtigten Überblick zu geben, Erklärungsansätze zu strukturieren und Handlungsmöglichkeiten aufzuzeigen - so gut, dass es schade gewesen wäre, wenn diese umfassende Arbeit nur einem kleinen Kreis Interessierter zur Verfügung gestellt worden wäre. Wir freuen uns deshalb sehr, dass der Mabuseverlag die Arbeit veröffentlicht und so einem größeren Kreis von Interessierten erschließt und wünschen dem Buch eine weite Verbreitung.

Prof. Lotte Kaba-Schönstein              Prof. Christel Althaus

Fachhochschule Esslingen - Hochschule für Sozialwesen

# Einleitung

In Deutschland verletzen sich etwa 200 000 Menschen selbst. Sie schneiden sich mit Rasierklingen, Messern oder Scherben, verbrennen sich mit Zigaretten oder fügen sich mit anderen Gegenständen Verletzungen zu. Eine Betroffene berichtet:

> *„Meistens hatte ich Rasierklingen zu Hause, mit denen ich, wenn ich den Druck nicht mehr aushielt, meinen Unterarm oder das Handgelenk »aufschnitt«, Linie an Linie, bis das Blut herunterrann; im »Notfall«, wenn es schnell gehen musste, zerschlug ich Glas oder nahm die Schere."*
>
> *Betroffenenbericht*

Die meisten davon sind junge Frauen im Alter von 16-30 Jahren. Die Zahlenangaben sind unterschiedlich, die Dunkelziffer ist hoch.[1] Experten sprechen von einer Zunahme der Selbstverletzung und ihrer Bedeutung seit Beginn der 90er Jahre, wie sie die Magersucht in den 70er und die Bulimie in den 80er Jahren hatte.[2] Auch in den Medien kommt dieses für viele schwer nachvollziehbare Phänomen zunehmend in den Blickpunkt. Zeitungen, Zeitschriften und auch Talkshows greifen die Thematik der Selbstverletzung auf.[3] Auch die Literatur zur Selbstverletzung hat sich in den letzten Jahren vervielfacht. Doch nicht jede Art von Betrachtung einer Problematik führt zu ihrem besseren Verständnis, oft bleibt Unverständnis und eine pathologische Sichtweise. Diese Hinführung zum Thema soll die Problematik des Selbstverletzenden Verhaltens von jungen Frauen verdeutlichen. Eine Definition der Begriffe Selbstverletzung bzw. Selbstverletzendes Verhalten, die ich synonym verwende, wäre hier zu umfangreich, deshalb werde ich diese durch eine begriffliche Annäherung in Kapitel eins vornehmen.

Da der Fokus meiner Arbeit auf junge Frauen gerichtet ist und vor allem auch Frauen in der Sozialen Arbeit in diesem Bereich tätig sind, werde ich im Folgenden die weibliche Form verwenden. Den Begriff „Soziale Arbeit"

---

[1] siehe Kapitel 2.1.1.1. Tabelle 1

[2] Sachsse 1999, S. 8

[3] z.B. die Frankfurter Rundschau mit dem Artikel „Messer in der Seele" (05.05.01) von Susanne Balthasar, Der Spiegel mit „Erst Musik, dann das Messer" (5/2001) von Anja Hägele oder die Talkshow „Fliege" (ARD am 10.04.2000) mit dem Titel „Wenn sich die Seele in Selbstverletzung flüchtet"

verwende ich als Überbegriff für Sozialarbeit und Sozialpädagogik, die sich in der Praxis immer mehr annähern. Bei den Personen, die in diesem Bereich tätig sind, werde ich von Sozialpädagoginnen sprechen. Diese sind nach meiner Einschätzung in Arbeitsfeldern, in denen Selbstverletzung vorkommt, momentan noch überwiegend tätig. Weitere Begriffe werde ich im Verlauf der Arbeit definieren.

Ich gehe davon aus, dass in der Sozialen Arbeit zentrale Erklärungs- und Handlungsansätze für die Selbstverletzung bei jungen Frauen liegen, welche noch nicht explizit herausgearbeitet wurden. In dieser Arbeit soll unter Berücksichtigung dieser Aspekte Sozialer Arbeit ein Überblick über die Thematik der Selbstverletzung gegeben werden, der die einseitig pathologische Sichtweise und das Tabu der Selbstverletzung aufhebt, Verständnis für die Betroffenen schafft sowie Möglichkeiten, Ansatzpunkte und Aufgaben der Sozialen Arbeit aufzeigt. Durch den Erklärungsansatz der Bewältigung soll Erklärungswissen und Handlungswissen für das Selbstverletzende Verhalten junger Frauen entstehen, das auch anderen Berufsgruppen die Ansätze professioneller Sozialer Arbeit in diesem Bereich verdeutlicht. Ein weiteres Ziel ist, dieses Thema an die Hochschule zu bringen, da aus meiner Sicht die Thematik der Selbstverletzung, im Gegensatz zu anderen Themen wie z.B. Essstörungen, noch kaum Berücksichtigung findet.

Auf die Darstellung von klassischen medizinischen und psychologischen Erklärungsansätzen verzichte ich, da diese in der zur Selbstverletzung bestehenden, stark psychiatrisch und psychoanalytisch geprägten Literatur umfassend beschrieben wurden. Verweise hierzu werde ich an entsprechenden Stellen einfügen. Ebenso werde ich darauf aufbauende Therapieansätze nicht behandeln.[4]

Den Ausgangspunkt dieser Arbeit bildet ein Menschenbild, welches beinhaltet, dass jedes Verhalten eines Menschen für ihn einen subjektiven Sinn erfüllt.[5] Daraus ergeben sich folgende Fragestellungen, die im Laufe dieser Arbeit beantwortet werden sollen:

• Warum verletzen sich vor allem junge Frauen im Alter von 16-30 selbst und welche Faktoren führen zur Zunahme dieses Verhaltens?

---

[4] siehe hierzu z.B. Schmeißer 2000, S. 89ff. Dort werden Therapieansätze aus der zur Selbstverletzung bestehenden Literatur beschrieben.
[5] Dies werde ich in Kapitel 2.2. nochmals aufgreifen.

- Was soll durch die Selbstverletzung bewältigt werden - welchen Sinn hat sie - und wie sehen Erklärungsmodelle für die Selbstverletzung als Bewältigungshandeln junger Frauen aus?
- Welche Konsequenzen ergeben sich für das Handlungsfeld der Sozialen Arbeit bezüglich des Selbstverletzenden Verhaltens junger Frauen?

Der konkrete Aufbau der Arbeit gestaltet sich folgendermaßen:

In Kapitel eins werde ich eine begriffliche Annäherung an die Thematik der Selbstverletzung vornehmen, indem ich Formen der Selbstschädigung aufzeige und die Stellung der Selbstverletzung darin darstelle. Überschneidungsbereiche und Zusammenhänge werden thematisiert, Abgrenzungen vorgenommen. Ein Überblick über die Problematik der Selbstverletzung sowie Hintergründe und Entstehungszusammenhänge des Selbstverletzenden Verhaltens junger Frauen folgt in Kapitel zwei, hier werde ich auch auf die Funktion und die Dynamik der Selbstverletzung eingehen. Den Zusammenhang von Selbstverletzung und Weiblichkeit thematisiere ich anschließend in Kapitel drei, um dessen Bedeutung in umfassender Weise berücksichtigen zu können. Der Aspekt der Bewältigung wird in den Kapiteln zwei und drei thematisiert. Darauf aufbauend leite ich in Kapitel vier zwei Modelle zur Erklärung der Selbstverletzung als Lebensbewältigung her. Auf der Grundlage dieser Modelle und den Grundsätzen professioneller Sozialer Arbeit werde ich in Kapitel fünf Konsequenzen für die Soziale Arbeit bezüglich des Handlungsfelds der Selbstverletzung bei jungen Frauen ziehen.

Zur Berücksichtigung verschiedener Perspektiven bezüglich des Selbstverletzenden Verhaltens junger Frauen verwende ich neben Fachliteratur weitere Quellen:

Um die Sichtweise einer Expertin im pädagogischen Bereich integrieren zu können, führte ich ein Interview mit der Diplom-Pädagogin Dagmar Preiß, die aufgrund ihrer Arbeit im MädchenGesundheitsLaden in Stuttgart Erfahrungen mit Selbstverletzendem Verhalten junger Frauen hat. Aussagen aus diesem Interview werden an verschiedenen Stellen einfließen.

Ein narratives Interview[6] führte ich mit Frau Abel[7], der Mutter einer jungen Frau, die sich selbst verletzt. Informationen daraus werde ich vor allem in

---

[6] Dieses schien mir vor allem aufgrund seiner Offenheit sowie zur Erfassung des subjektiven Erlebens einer Angehörigen für besonders geeignet. Die Durchführung fand unter Berücksichtigung der methodisch-technischen Aspekte für qualitative Interviews und den Kriterien des narrativen Interviews als spezielle Form des qualitativen Interviews statt. (siehe Lamnek 1995, S. 68ff)

Kapitel zwei bei dem Aspekt von Selbstverletzung und Beziehungen verwenden, um die Sichtweise einer Angehörigen aufzunehmen. Zur Verdeutlichung werde ich außerdem an verschiedenen Stellen Zitate aus dem Interview einfügen.

Das Erleben einer Betroffenen werde ich, wie bereits zum Einstieg in das Thema geschehen, durch Zitate aus dem Bericht einer mir bekannten Betroffenen verdeutlichen. Da die Person anonym bleiben möchte, werde ich diese als »Betroffenenbericht« kennzeichnen. Darüber hinaus führte ich informelle Gespräche mit von Selbstverletzung betroffenen jungen Frauen und mit im psychosozialen Bereich Tätigen, die berufliche Erfahrung mit Selbstverletzendem Verhalten haben.

---

[7]der Name wurde geändert (die Autorin)

# 1. Selbstverletzung – eine begriffliche Annäherung

Es besteht ein breites Spektrum von Begriffen, die das Phänomen der Schädigung des eigenen Körpers umschreiben. In diesem Kapitel werde ich einen Überblick über diese geben, meine Verwendung der Begriffe in dieser Arbeit darstellen und eine Abgrenzung vornehmen.

## 1.1. Formen der Selbstschädigung

Menschen fügen ihrem Körper durch die unterschiedlichsten Verhaltensweisen Schaden zu. Dies ist kein neues Phänomen. Selbstschädigung war schon immer Bestandteil verschiedener religiöser Rituale und Stammesriten, dort soll sie Buße und die Kasteiung des weltlichen Körpers darstellen. In verschiedenen Kulturen war und ist eine willentliche Beschädigung des Körpers um Schönheitsidealen zu entsprechen üblich (die Verformung des Kopfes im alten Ägypten, die Verformung von Frauenfüßen in China sowie die Skarifikation, das Zufügen von Hautnarben, in Afrika). Auch im Alltag unserer westlichen Kultur ist Selbstschädigung üblich. Nachfolgend werde ich die »alltäglichen« Formen der Selbstschädigung und die Selbstschädigung als Krankheit darstellen, weise aber darauf hin, dass „die Grenzen zwischen kulturell verankerter, alltäglich »akzeptierter« und krankhafter Selbstbeschädigung fließend" sind.[1]

### 1.1.1. »Alltägliche« Formen der Selbstschädigung

Unter alltäglicher Selbstschädigung verstehe ich die indirekte Form, seinem Körper Schaden zuzufügen. Dies geschieht meist unbewusst.

Viele Schädigungen des Körpers, wie das Auszupfen von Härchen, Schönheitsoperationen, Piercing und das Bräunen der Haut, sind gesellschaftlich akzeptiert und erwünscht.[2] Kaplan stellt sogar die Frage, ob die Bearbeitung des Körpers in Form von Enthaarung, Abmagerungskuren, Haarschnitt, Dauerwelle, Gesichtspeeling, Fingernagel und Nagelhaut schneiden, Fettabsaugen, Operationen an Brüsten, Hüften und Nasen – für die Schönheit unbewusste Selbstverstümmelungen sind.[3] Auf die Tatsache, dass dies vor allem

---

[1] Eckhardt 1994, S.13
[2] Smith/Cox/Saradjian 2000, S.15
[3] Kaplan 1991, S.391

Verhaltensweisen sind, die von Frauen durchgeführt werden, (wobei der Anteil der Männer, die sich Schönheitsoperationen unterziehen, zunimmt)[4] werde ich in Kapitel drei explizit eingehen.

Eine weitere gesellschaftlich anerkannte Form der alltäglichen Selbstschädigung sind Extremsportarten, bei denen bis zur körperlichen Erschöpfung oder bis zur Entwicklung körperlicher Schäden trainiert wird, z.B. extremes Bodybuilding. Auch sportliche Aktivitäten wie Bungee jumping, die mit großen Gefahren verbunden sind, sind hier einzuordnen.[5]

Franzkowiak[6] bezeichnet solches Risikoverhalten aus sozialwissenschaftlich-psychoanalytischer Sicht als selbstschädigende Anpassung und stellt die Hypothese auf, dass dies ein „(...) sozial legitimiertes und akzeptiertes mit individuellem Sinn ausgestattetes Konfliktlösungsmuster (...)" ist. Als Risikoverhalten können Genussmittelkonsum (Süßigkeiten, Alkohol, Rauchen), „Falsche" Ernährung, „Leichtsinniges" Verhalten (Verkehr, Arbeit), Bewegungsmangel, Mangelnde Körperhygiene und Mangelnde Psychohygiene (z.B. Freizeitverhalten) bezeichnet werden.[7] Schwarzer[8] nennt außerdem Drogenmissbrauch und riskantes Sexualverhalten (im Hinblick auf AIDS) als gesundheitsriskante Verhaltensweisen.

Es gibt verschiedene Motive für diese Formen des Selbstschädigenden Verhaltens bei einzelnen Menschen und Bevölkerungsgruppen. Das Verhalten kann Lebensqualität bedeuten, um in einer sozialen Gruppe dazuzugehören selbstverständlich sein („Soziale Identität"), es kann zur Gewohnheit geworden sein oder auch der Entspannung und Abreaktion von Alltagskonflikten (Konflikt-Entspannung) dienen.[9] Im Verhaltensmodell von Krankheit wird die Entstehung von vielen „Volkskrankheiten" durch solche gesundheitsgefährdenden Verhaltensweisen, die sozial akzeptiert sind, erklärt.[10] Es wird deutlich, dass eine klare Trennung von normalem und abnormalen Verhalten, zwischen Gesundheit und Krankheit nicht möglich ist.[11]

---

[4] Eckhardt 1994, S. 26
[5] Eckhardt 1994, S. 32ff
[6] Franzkowiak 1986, S. 162f; Waller 1997, S. 27
[7] von Troschke 1979, S. 128
[8] Schwarzer 1992, S. 186ff
[9] von Troschke 1979, S. 127f
[10] Waller 1997, S. 25ff
[11] Kaplan 1991, S. 392

## 1.1.2. Selbstschädigung als Krankheit[12]

Es gibt bisher keine eindeutige verbindliche Definition der direkten Schädigung des eigenen Körpers. Im Folgenden schließe ich die Formen indirekter alltäglicher Selbstschädigung aus. Ich werde das Spektrum krankhafter Selbstschädigung und die Wahl der von mir gewählten Begriffe aufzeigen sowie den Schwerpunkt meiner Arbeit, das Phänomen der Selbstverletzung, einordnen.

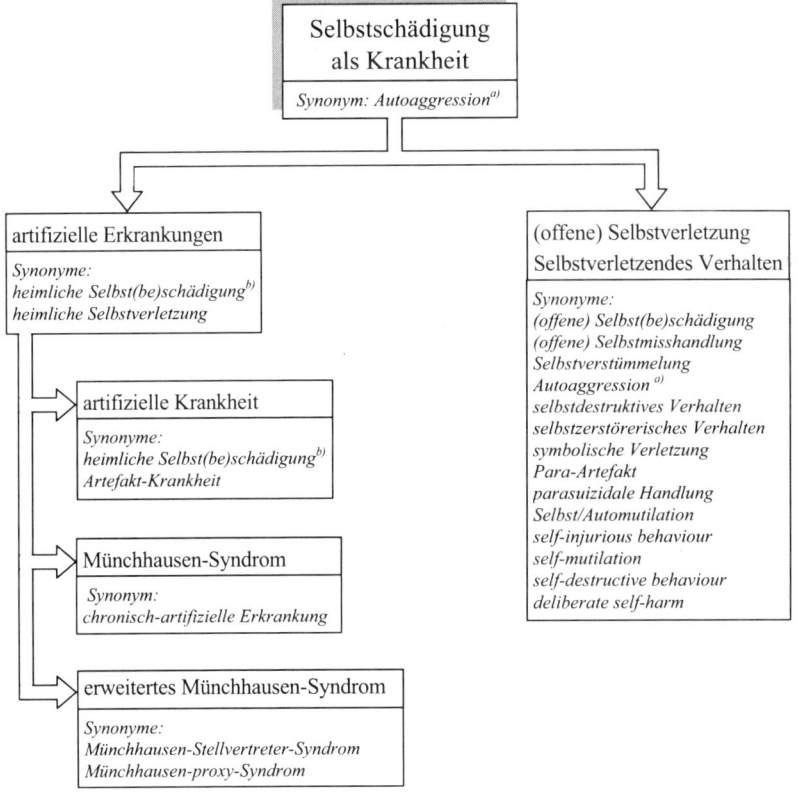

---

[12] Bei der Verwendung des Begriffes Krankheit gehe ich in Anlehnung an Antonovsky vom Gesundheits-Krankheits-Kontinuum aus, das besagt, dass jeder Mensch gesunde und kranke Anteile hat und die beiden Pole völlige Krankheit oder völlige Gesundheit nicht erreichbar sind. (Bengel/Strittmatter/Willman. 1998, S. 32; siehe auch Franzkowiak und Lehmann 1999, S. 53f)

*a)* Autoaggression wird als Überbegriff[13] und als Synonym für (offene) Selbstverletzung[14] verwendet.

*b)* Heimliche Selbst(be)schädigung wird als Überbegriff und als Synonym für artifizielle Krankheit verwendet.[15]

Um diese Begriffsverwirrung zu vermeiden, werde ich in meiner Arbeit die jeweils übergeordneten Begriffe verwenden.

Der umfassendste und wahrscheinlich bekannteste Begriff ist der der Autoaggression. Obwohl Aggression nicht destruktiv sein muss, sondern zur Selbstbehauptung und Entfaltung von Möglichkeiten im Leben (persönlich, beruflich und familiär) nötig ist[16], enthält der Begriff Aggression und damit auch der Begriff der Autoaggression nach meiner Einschätzung eine negativ wertende Komponente. Deshalb und da er, wie in der Abbildung ersichtlich wird, unterschiedliche Anwendung findet, bevorzuge ich den neutraleren, eher beschreibenden Begriff der Selbstschädigung.

### 1.1.2.1. Artifizielle Erkrankungen[17]

Das Zentrale Symptom der **artifiziellen Krankheit** besteht darin, dass Menschen sich heimlich schädigen. Körperliche und/oder seelische Krankheitssymptome werden künstlich erzeugt oder vorgetäuscht, um die Patientenrolle einnehmen zu können. Dies hat nichts mit dem Verhalten von Simulanten (Menschen, die bewusst Krankheitssymptome vortäuschen, um dadurch finanzielle oder andere Vorteile zu erreichen) zu tun. Es werden z.B. Blutungen erzeugt, toxische Substanzen injiziert sowie Schmerzen nachgeahmt. Dies führt zu wiederholten Klinikaufnahmen und medizinischen Maßnahmen

---

[13] „... Autoaggression als begriffliches »Sammelbecken« aller Formen von Schadenszufügungen dem eigenen Körper gegenüber." (Rohmann/Hartmann 1988, S. 13)

[14] Autoaggression gilt im deutschsprachigen Raum als gleichwertige Benennung für Selbstverletzung. (Klosinski 1999, S. 14)

[15] Eckhardt 1994, S. 41

[16] Hänsli, 1996, S. 18

[17] DSM-IV 1998, S. 540f (vorgetäuschte Störung); DSM ist die Abkürzung der englischen Bezeichnung „Diagnostic and Statistical Manual of mental Disorders", auf deutsch „Diagnostisches und Statistisches Manual Psychischer Störungen". Eine weitere Diagnoseklassifikation ist die von der Weltgesundheitsorganisation (WHO) erstellte „International Classification of Diseases", kurz ICD. Die DSM-IV und die ICD 10 sind die jeweils aktuellen Versionen, sie stimmen in Vielem überein. Ich verwende die DSM, da sie in der Literatur weiter verbreitet ist.

(Untersuchungen und Operationen). Betroffene verleugnen diese Selbstschädigung und glauben schließlich selbst eine komplizierte Krankheit zu haben. Eine schwerwiegende Schädigung des Körpers und sogar der Tod wird in Kauf genommen. Es dauert oft Jahre, bis die richtige Diagnose gestellt wird. Auffallend ist, dass zu 80 Prozent Frauen von dieser Problematik betroffen sind und ein Drittel von ihnen in medizinischen Berufen arbeitet.[18] Die Diagnosehäufigkeit beträgt in dermatologischen Kliniken 1-2 % und bei Fieberpatienten in internistischen Kliniken 9 %, allerdings muss dabei berücksichtigt werden, dass die Diagnosehäufigkeit nichts über die Krankheitshäufigkeit aussagt.[19]

Auch beim **Münchhausen-Syndrom** steht das Erfinden, Verschlimmern und Erzeugen von Krankheitssymptomen um die Patientenrolle einzunehmen und eine Klinikaufnahme zu erreichen im Vordergrund. Zusätzlich werden - wie die Benennung der Krankheit nach dem Lügenbaron Münchhausen schon andeutet - hochstaplerische Geschichten und Erklärungen mit falschen Namen und Biographien erzählt. Die Betroffenen suchen immer wieder neue Behandlungseinrichtungen auf, brechen Behandlungen aber dann wieder ab. Die Abstände der Krankenhausaufenthalte werden immer kürzer, sie „wandern" von Klinik zu Klinik, ihre Krankenberichte und Liste bekannter Ärzte verbinden sie mit Stolz. Es sind doppelt so viele Männer wie Frauen davon betroffen (Erklärungen dafür sind mir nicht bekannt).[20]

Das **erweiterte Münchhausen-Syndrom** wird als seltenere Erkrankung beschrieben, bei der vor allem Mütter an ihren Kindern Krankheitssymptome vortäuschen, künstlich erzeugen oder vorhandene Krankheitssymptome verstärken. Es handelt sich dabei um eine Sonderform der Kindesmisshandlung. Die Mütter, die die eigentlichen Patientinnen wären, wenden verschiedenste Methoden an, um über die Behandlung der Kinder, bei der Mitaufnahme in Kliniken, Zuwendung und Hilfe zu bekommen. Zum Beispiel geben sie ihrem Kind Abführ- oder Brechmittel oder täuschen neurologische Erkrankungen vor.

---

[18] Eckhardt 1994, S. 45ff. Hier befindet sich eine ausführliche Beschreibung der Krankheitssymptome und der Methoden, durch die sie erzeugt werden; Hänsli 1996, S. 34; Paar 1996, S. 137ff
[19] Plaßmann 1989, S. 135
[20] Eckhardt 1994, S. 62ff; Hänsli 1996, S. 35f

Dies kann bei den Kindern einerseits zu seelischen Störungen[21] und andererseits zu körperlichen Schäden durch die ärztlichen Maßnahmen führen. Ergänzend ist zu erwähnen, dass dieses Syndrom auch bei Erwachsenen auftritt. Dabei erzeugt eine erwachsene Person bei einer ihr nahestehenden erwachsenen Person Krankheitssymptome z.b. durch Beigabe von Medikamenten zum Essen.[22]

Epidemiologische Daten zu den artifiziellen Erkrankungen fehlen weitgehend.[23] Kennzeichnend für diese Formen heimlicher Selbstschädigung ist, dass sich die Betroffenen ihres Verhaltens, das für viele sicher schwer nachvollziehbar ist, nicht bewusst sind. Das ist ein Grund dafür, dass die Betroffenen sehr schwer zugänglich sind, wenn es um die Ursachen ihrer „körperlichen" Beschwerden geht. Auf die Hintergründe, die im psychischen Bereich liegen, kann ich nicht weiter eingehen, da dies den Umfang der Arbeit sprengen würde. Es liegt allerdings ein großer Überschneidungsbereich mit denen der offenen Selbstverletzung vor, die ich in Kapitel zwei ausführlich behandeln werde. Doch kann schon hier die Frage gestellt werden, ob die Problematik der Schädigung des eigenen Körpers damit verbunden ist, dass seelische Probleme „noch immer mit gesellschaftlichen Vorurteilen behaftet sind und nicht in unsere schnelle, aktive Welt der chromblitzenden, computergesteuerten Apparate, die voller Allmachtsphantasien steckt"[24] passen. Auf diese Frage, ob es »akzeptierter ist Probleme auf der körperlichen Ebene auszudrücken«, werde ich in Kapitel drei eingehen.

### 1.1.2.2. (Offene) Selbstverletzung - Selbstverletzendes Verhalten

Unter Selbstverletzung verstehe ich eine selbstzugefügte, direkte, körperliche Verletzung, die nicht gezielt lebensbedrohlich ist.[25] Dies geschieht meist in Form von Verletzungen an der Hautoberfläche, wie Schnittwunden, Abschürfungen, Verbrühungen und Verbrennungen.[26] Der Unterschied zu den artifiziellen Erkrankungen besteht darin, dass die Betroffene zu der Tatsache steht, die Verletzung selbst herbeigeführt zu haben, z.B. bei der Erstversorgung

---

[21] Der Begriff Störung beschreibt einen Symptomkomplex, der mit Belastungen und Beeinträchtigungen verbunden ist. Er wird oft verwendet, um den problematischen Begriff der Krankheit zu vermeiden. (Dilling/Mombour/Schmidt 2000, S. 22f)
[22] Eckhardt 1994, S. 72ff; Hänsli 1996, S. 37f
[23] Paar 1996, S. 141
[24] Eckhardt 1994, S. 28
[25] Herpertz und Saß 1994, S. 297
[26] Paar 1996, S. 141

von Wunden. Die Abgrenzung zu alltäglicher Selbstschädigung besteht darin, dass bei Modeerscheinungen wie Piercing oder Tätowierungen die Durchführung als schmerzhaft und unangenehm empfunden wird. Bei der Selbstverletzung hingegen wird nicht nach Gruppennormen gehandelt, nicht daran gedacht, wie die Haut später aussieht – der körperliche Schmerz wird gesucht um den psychischen zu übertönen.[27]

In der Verwendung der Begriffe Selbstverletzendes Verhalten und Selbstverletzung schließe ich mich Sachsse[28] an, der diese im Gegensatz zu dem oft verwendeten Begriff der Selbstbeschädigung weniger be- und verurteilend sieht. Den Begriff der »Selbstverletzerin« werde ich vermeiden, da dies eine Festschreibung und Begrenzung der Frau auf dieses Verhalten bedeuten würde, stattdessen werde ich von »Frauen die sich selbst verletzen« oder »Frauen mit Selbstverletzendem Verhalten« sprechen.

Aufgrund der Aktualität dieses Phänomens und der auffallend hohen Anzahl junger Frauen, die davon betroffen sind[29], ist dies der Schwerpunkt meiner Arbeit, den ich in den folgenden Kapiteln ausführlich behandeln werde.

## 1.2. Überschneidungsbereiche - Zusammenhänge - Abgrenzungen

Die Abgrenzung der Selbstverletzung ist nicht klar möglich, da Überschneidungen zu anderen Störungen und Diagnosen bestehen, die ich nachfolgend beschreiben werde. Auch die bestehende, vor allem psychiatrisch geprägte Literatur ist sich dabei nicht einig.

### 1.2.1. Das Borderline-Syndrom

In Zusammenhang mit Selbstverletzung taucht oft die Diagnose der Borderline-Persönlichkeitsstörung auf. Plaßmann[30] stellt fest, dass Selbstverletzung als eine Untergruppe des Borderline-Syndroms verstanden werden kann. Diese Diagnose deutet auf eine Grenzstörung zwischen Psychose und Neurose hin, gleichzeitig geht es im Leben dieser Menschen um nicht vorhandene oder unklare Grenzen.[31]

---

[27] Levenkron 2001, S. 22
[28] Sachsse 1999a, S. 36; siehe auch Smith/Cox/Saradjian 2000, S.16
[29] auf die genaue Datenlage werde ich in Kapitel 2.1.1. eingehen
[30] Plaßmann 1989, S. 150
[31] Gneist 1997, S. 10

Die DSM-IV[32] nennt folgende diagnostische Kriterien für die Borderline Persönlichkeitsstörung:

Ein tiefgreifendes Muster von Instabilität in zwischenmenschlichen Beziehungen, im Selbstbild und in den Affekten sowie von deutlicher Impulsivität. Der Beginn liegt im frühen Erwachsenenalter und manifestiert sich in den verschiedenen Lebensbereichen. Mindestens 5 der folgenden Kriterien müssen erfüllt sein:

(1) verzweifeltes Bemühen, tatsächliches oder vermutetes Verlassenwerden zu vermeiden.(...)

(2) Ein Muster instabiler, aber intensiver zwischenmenschlicher Beziehungen, das durch einen Wechsel zwischen den Extremen der Idealisierung und Entwertung gekennzeichnet ist.

(3) Identitätsstörungen: ausgeprägte und andauernde Instabilität des Selbstbildes oder der Selbstwahrnehmung.

(4) Impulsivität in mindestens zwei potentiell selbstschädigenden Bereichen (Geldausgaben, Sexualität, Substanzmissbrauch, rücksichtsloses Fahren, „Fressanfälle"). (...)

(5) Wiederholte suizidale Handlungen, Selbstmordandeutungen oder -drohungen oder Selbstverletzungshandlungen.

(6) Affektive Instabilität infolge einer ausgeprägten Reaktivität der Stimmung (z.B. hochgradige episodische Dysphorie, Reizbarkeit oder Angst, wobei diese Verstimmungen gewöhnlich einige Stunden und nur selten mehr als einige Tage andauern).

(7) Chronische Gefühle von Leere.

(8) Unangemessene, heftige Wut oder Schwierigkeiten, die Wut zu kontrollieren (z.B. häufige Wutausbrüche, andauernde Wut, wiederholte körperliche Auseinandersetzungen).

(9) Vorübergehende, durch Belastungen ausgelöste paranoide Vorstellungen oder schwere dissoziative Symptome.

Vor allem bei Kriterium fünf wird der enge Bezug zur Selbstverletzung deutlich. Vereinzelte Untersuchungen haben einen engen Zusammenhang zwischen Selbstverletzendem Verhalten und der Borderline-Diagnose gefunden, bei der vor allem schwere Traumatisierungen[33] in Kindheit und Jugend eine

---

[32] DSM IV 1998, S. 739

[33] Als psychisches Trauma wird ein Erlebnis beschrieben, „(...) auf welches ein Individuum nicht in adäquater Weise reagieren kann, das es nicht verarbeiten kann und das daher aus dem Bewusstsein verdrängt wird. Vom Unbewussten aus entfaltet das traumatische Erlebnis ständig eine Wirkung auf den psychischen Apparat in einer Weise, als wenn der Betreffende

große Rolle spielen.[34] Daraus ergibt sich wiederum der enge Zusammenhang zwischen der Borderline-Persönlichkeitsstörung und der Posttraumatischen Belastungsstörung, so dass die Borderline-Symptomatik inzwischen auch als Traumafolge verstanden werden kann.[35] So betont auch Sachsse[36], dass wahrscheinlich in Zukunft eine »Komplexe chronifizierte Posttraumatische Belastungsstörung« das Selbstverletzende Verhalten am besten beschreiben würde. Auf die Bewältigungsfunktion der Selbstverletzung in Bezug auf traumatische Ereignisse werde ich in Kapitel 2.3.1. und in Kapitel vier eingehen.

In der Beschreibung des Borderline-Syndroms gibt es viele Überschneidungen und Parallelen zum Symptom der Selbstverletzung; im Personenkreis (ca. 75 % Frauen, meist im jungen Erwachsenenalter), der Zusammenhang mit anderen Symptomen wie Essstörungen, der Annahme einer Zunahme dieser Problematik sowie auch die Feststellung, dass die Grenze zwischen »Normalität« und »Krankheit« fließend sein kann.[37] In meiner weiteren Arbeit werde ich die Diagnose der Borderline-Persönlichkeit nicht berücksichtigen, da die Selbstverletzung nicht einer bestimmten Diagnose wie derzeit der Borderline Persönlichkeitsstörung zuordenbar ist.[38] Aus Sicht der Sozialen Arbeit halte ich eine Gleichsetzung von Selbstverletzung mit dem Borderline-Syndrom für problematisch, da eine solche Diagnose eine Festschreibung (Etikettierung bzw. Stigmatisierung) der Betroffenen bedeuten kann. Außerdem besteht die Gefahr, den Blickwinkel auf die Sinnhaftigkeit dieses Verhaltens für die Betroffene, in Form der Lebensbewältigung, zugunsten einer rein pathologischen Sichtweise zu verlieren.[39] Wichtige Erkenntnisse, die über die Diagnose an sich hinaus Gültigkeit haben, werde ich aufnehmen.

---

ständig mit dem Erlebnis konfrontiert würde, auf das sinnvoll zu reagieren seine dauernd ungelöste Aufgabe bleibt." (Peters 2000, S. 570)

[34] Sachsse/Eßlinger/Schilling 1997, S. 12

[35] Sachsse/Eßlinger/Schilling 1997, S. 17

[36] Sachsse 1999a, S. 56

[37] Kreisman und Straus 1989, S. 37

[38] Herpertz und Saß 1994, S. 300f; hier wird außerdem betont, dass die Diagnostik offener Selbstverletzung in derzeitigen Klassifikationssystemen nicht zufriedenstellend geklärt ist.

[39] Zur Problematik der Diagnose von Störungen oder Krankheiten im psychischen Bereich, siehe Waller 1997, S. 192 sowie auch Bengel/Strittmatter/Willmann 1998, S. 76.

## 1.2.2.  Krankheiten mit selbstschädigendem Charakter

Die folgenden Krankheiten bzw. Störungen können weder zur alltäglichen Selbstschädigung gezählt werden noch zur Selbstschädigung als Krankheit, da die Schädigung des Körpers nicht unmittelbar stattfindet, aber im Verlauf der Krankheit zwangsläufig auftritt. Auch bei bestimmten psychischen Krankheiten, z.B. Psychosen, kann es bei Wahnvorstellungen zu schweren Selbstschädigungen kommen, diese schließe ich mit dem Verweis auf umfangreiche psychiatrische Literatur aus.

### Essstörungen

Essstörungen[40] können als Krankheiten mit selbstschädigendem Charakter gesehen werden. In Abgrenzung zu der alltäglichen Selbstschädigung hat zum Beispiel jemand, der eine Diät macht, ein Mangelgefühl und ist gereizt. Eine magersüchtige Person hingegen erlebt durch das Hungern Befriedigung, auch wenn sie Schmerzen hat und sich eventuell in Lebensgefahr bringt.[41] Die direkte Selbstschädigung steht nicht wie bei den artifiziellen Krankheiten und der Selbstverletzung im Vordergrund. Trotzdem gibt es sehr viele Gemeinsamkeiten. Viele der Frauen, die sich selbst verletzen, haben auch Essstörungen, bzw. verletzen sich viele Frauen mit Essstörungen selbst, diese Symptome können sich auch gegenseitig abwechseln.[42] Auch bei den Essstörungen gibt es die Diskussion um die Borderline-Symptomatik und von beiden Problematiken sind zum Großteil Frauen betroffen. Auf die Zusammenhänge und Parallelen von Essstörungen und Selbstverletzung werde ich in Kapitel 3.3.2. genauer eingehen.

### Sucht

Süchtiges Verhalten[43] ist eine weitere Form der Selbstschädigung im Grenzbereich. Die Schädigung des Körpers geschieht nicht direkt, ist aber bei chronischem Missbrauch von Alkohol, Medikamenten und Drogen eine zwangsläufige Folge. Schwere körperliche Erkrankungen und Folgeschäden bis hin zum Tod werden in Kauf genommen. Auch hier gibt es einen Überschneidungsbereich von Menschen, die sich selbst verletzen und eine

---

[40] unter Essstörungen verstehe ich Magersucht, Bulimie und Esssucht
[41] Levenkron 2001, S. 22
[42] Eckhardt 1994, S. 216
[43] im engen Sinne von stoffgebundener Sucht

Suchtproblematik haben, eine Symptomverschiebung kommt häufig vor.[44] Auf das Thema Sucht, zu dem es umfangreiche Literatur gibt, werde ich in dieser Arbeit nicht weiter eingehen, da dies den Rahmen sprengen würde.

### Zwanghaftes Haareausreißen (Trichotillomanie)

Das Phänomen der Trichotillomanie hat selbstschädigenden Charakter, die Selbstschädigung ist aber nicht direktes Ziel. Es handelt sich eher um einen Zwang, bei dem Betroffene, hierbei handelt es sich fast ausschließlich um Frauen, ihre Haare meist einzeln ausreißen. Es entstehen kahle Stellen, wobei vor allem das Kopfhaar, aber auch Augenbrauen, Wimpern, Gesichtshaar oder andere Körperbehaarung betroffen ist. Nach Schätzungen leiden in den USA zwischen zwei und acht Millionen Frauen unter Trichotillomanie, dabei sind alle Altersstufen vertreten.[45]

### Zwanghafte Beschädigung von Nägeln und Haut

Nägelkauen und Nagelbettreißen ist häufig zu beobachten, in der extremen Form werden die Nägel völlig abgekaut oder abgerissen, bis es blutet. Das Nagelbett wird auf- oder eingerissen, zum Teil werden auch Scheren benutzt. Dabei entstehen Verletzungen und Entzündungen, die gelegentlich auch operativ behandelt werden müssen. Auch hier sind Frauen häufiger betroffen als Männer.

Zu den zwanghaften Hautbeschädigungen gehört das Kratzen an der Haut, das Aufkratzen verschorfter Wunden und die „Acne excoriée", bei der Menschen, die an Akne leiden, ständig an der Haut manipulieren, stundenlang vor dem Spiegel stehen um »Mitesser und Pickel auszudrücken«, so dass es häufig zu Entzündungen und entstellenden Narben kommt. Dies geschieht vor allem in Spannungs- und Stresssituationen.[46]

---

Aus dieser Annäherung an das Thema der Selbstverletzung ergeben sich folgende Fragen: Was führt dazu, dass Menschen so mit sich umgehen, sich selbst Schaden zufügen? Wieso sind, wie sich auch bei den Krankheiten mit

---

[44] Eckhardt 1994, S. 218; Sachsse 1999a, S. 37
[45] Eckhardt 1994, S. 220; Kaplan 1991, S. 424f
[46] Eckhardt 1994, S. 222f

selbstschädigendem Charakter gezeigt hat, hauptsächlich Frauen betroffen? »Was macht Frauen so verletzlich, dass sie sich selbst verletzen?« Auf diese Fragen werde ich nun exemplarisch am Beispiel des Selbstverletzenden Verhaltens von jungen Frauen eingehen.

# 2. Selbstverletzendes Verhalten junger Frauen

Im Folgenden werde ich die Problematik der Selbstverletzung darstellen, die Hintergründe und Entstehungszusammenhänge von Selbstverletzendem Verhalten aufzeigen sowie auf die Funktion und Dynamik der Selbstverletzung eingehen.

## 2.1. Die Problematik der Selbstverletzung

Die Problematik der Selbstverletzung ist noch ein relativ neues Themengebiet, das jedoch an Bedeutung gewinnt. Um einen Überblick zu geben, werde ich nun die Häufigkeit und Verbreitung der Selbstverletzung, die Formen - d.h., wie und wo geschieht die Verletzung - und Kriterien, durch die eine Selbstverletzung diagnostiziert bzw. charakterisiert werden kann, darstellen.

### 2.1.1. Häufigkeit und Verbreitung der Selbstverletzung

Die Datenlage zur offenen Selbstverletzung ist relativ schlecht, da dieses Problem erst seit kurzem systematisch-empirisch angegangen wird. Ein weiterer Grund für das begrenzte Wissen über die Verbreitung der Selbstverletzung in der Allgemeinbevölkerung und unter psychiatrischen Patienten besteht darin, dass Betroffene nur ungern von diesem „sozial stigmatisierenden Verhalten" erzählen und Selbstverletzung oft unter anderen Kategorien wie z.B. Suizidalität untergeht. Bisher liegen nur klinische Untersuchungen mit 20-40 Personen und eine umfangreiche, auf Fragebogen basierende Erhebung von Favazza vor. In der psychiatrischen Forschung vermissen Herpertz und Saß die ganzheitliche Sichtweise.[1] Dies spricht für die Notwendigkeit Sozialer Arbeit in diesem Bereich, die den Grundsatz der Ganzheitlichkeit berücksichtigt, worauf ich in Kapitel fünf eingehen werde.

---

[1] Herpertz und Saß 1994, S. 297f

Tabelle 1: Überblick über die Häufigkeit und Verbreitung der Selbstverletzung

| | Allgemeinbevölkerung | Alter | Anteil der Frauen[2] |
|---|---|---|---|
| Herpertz und Saß[3] | 0,6-0,7 % | 15-35 Jährige | ca. 67 % * |
| | 2 % der 15-35 Jährigen | | |
| Favazza[4] | 0,75 % * | 20-30 Jährige | 83 % |
| Koch[5] | ca. 0,24 % * | 16-25 Jährige | fast ausschließlich weiblich |
| Sachsse[6] | ca. 1 % | | ca. 83 % * |

\* Aus Gründen der Vergleichbarkeit wurden die Daten in Prozent umgerechnet (die Autorin).

Diese Angaben wurden aus der Erfahrung vieler anderer Autoren bestätigt. Trotz der Differenz zwischen den verschiedenen Angaben kristallisiert sich der Schwerpunkt bei den jungen Frauen zwischen 16 und 30 heraus. Auch Dagmar Preiß bestätigte im Interview diese Altersangaben. Bezüglich der allgemeinen Verbreitung des Selbstverletzenden Verhaltens zeigt Levenkron auf, dass der Prozentsatz der Betroffenen etwa dem der Magersucht entspricht (2,5 %).[7] Aus diesen Zahlenangaben schließe ich, dass Kenntnisse über die Problematik der

---

[2] Der hohe Anteil an Frauen lässt schließen, dass der Aspekt der Weiblichkeit bei der Selbstverletzung von besonderer Bedeutung ist. Diesen Zusammenhang werde ich in Kapitel drei umfassend darstellen.

[3] Herpertz und Saß 1994, S. 298. Einschätzung aufgrund eigener Untersuchungen bei einer Patientengruppe

[4] Favazza und Conterio 1989, S. 283; Favazza et al 1989, zitiert nach Eckhardt 1994, S. 43f. Dabei handelt es sich um eine große amerikanische Untersuchung auf Grundlage von Fragebögen. Es ist zu berücksichtigen, dass diese Erhebung von Favazza die USA betrifft. Allerdings gehe ich davon aus, dass die Situation in Deutschland ähnlich ist und solche Entwicklungen, wie auch bei den Essstörungen, alle Nationen mit westlicher Kultur betreffen. (siehe Sachsse 2000, S. 348)

[5] Koch 1998, S. 10f. Dieser Prozentsatz entspricht 200 000 Betroffenen in der BRD. In dem Artikel in „Psychologie Heute" sind keine detaillierten Quellen genannt. Koch beruft sich aber auf verschiedene, von ihr genannte Experten.

[6] Sachsse 2000, S. 348

[7] Diese Angaben sind im Vergleich zu anderen deutlich höher, allerdings wird im Allgemeinen von einer hohen Dunkelziffer ausgegangen. Levenkron beruft sich auf eine informelle Untersuchung der Canadian Broadcasting Company, bei der 500 Schulpsychologinnen befragt wurden. (Levenkron 2000, S. 18)

Selbstverletzung auch für die Soziale Arbeit wichtig sind und - wenn man von „einer steigenden Tendenz"[8] ausgeht - in Zukunft noch wichtiger werden.

## 2.1.2. Formen der Selbstverletzung

Die häufigste Form der Selbstverletzung sind Verletzungen der Haut durch das Schneiden mit Rasierklingen, Scherben, Messern, Scheren und anderen spitzen Gegenständen. Oft kommen auch Verbrennungen mit Zigaretten, dem Feuerzeug oder heißem Wasser sowie Verätzungen der Haut mit Chemikalien vor. Weitere Formen sind die Manipulation von Wunden, Schlagen und Quetschen der Haut und das Beibringen großflächiger Kratzspuren. Seltener werden willentlich Knochenbrüche verursacht und Verletzungen durch das Schlucken unverdaulicher Substanzen herbeigeführt.[9] Hänsli[10] betont, dass fast jeder Gegenstand (auch Teile des eigenen Körpers) zur Selbstverletzung benutzt werden kann. Die Betroffenen fügen sich die Verletzungen vor allem an den Armen (speziell an den Handgelenken) 74 %, an den Beinen 44 %, am Bauch 25 %, am Kopf 23 %, an der Brust 18 % und im Genitalbereich 8 % zu.[11]

In der Literatur wird zwischen leichter und schwerer Selbstverletzung unterschieden. Zur leichteren Form gehören oberflächliche Hautverletzungen, die in der Regel nicht chirurgisch versorgt werden müssen. Bei der schweren Form kommt es zu tieferen, schwerwiegenden Hautverletzungen, zum Teil auch Muskel-, Nerven- und Gefäßverletzungen, die oft bleibende Schäden und Narben hinterlassen und chirurgisch versorgt werden müssen. Die Übergänge zwischen der leichten und schweren Selbstverletzung sind fließend. Sachsse berichtet aus eigener Erfahrung, dass die Schwere der Selbstverletzung mit der Schwere der „Störung" zusammenhängt.[12] Diesen Aspekt halte ich für die Einschätzung der Problematik für relevant, schließe mich aber der Aussage von Kaplan[13] an, dass eigentlich jede Selbstverletzung als schwer angesehen werden muss.

---

[8] Sachsse 1999a, S. 38; Diese Zunahme wurde mir von verschiedenen in der psychosozialen Praxis tätigen Personen bestätigt.
[9] Eckhardt 1994, S. 41; Sachsse 1999a, S. 35; Levenkron 2000, S. 21
[10] Hänsli 1996, S. 22
[11] Favazza und Conterio 1989, S. 286
[12] Eckhardt 1994, S. 42; Sachsse 1999a, S. 35
[13] Kaplan 1991, S. 397

Die Verletzung der Haut ist, wie schon erwähnt, die häufigste Form der Selbstverletzung junger Frauen. Dabei wird mit einem Gegenstand in die Haut »geschnitten«. Dieses Verhalten wird auch Ritzen oder Schnibbeln genannt.[14] Diese Begriffe halte ich nicht für angemessen, da sie die oft tiefen Schnitte verharmlosen. Deshalb verwende ich in meiner Arbeit den Begriff des Schneidens.

### 2.1.3. Diagnose der Selbstverletzung

Die diagnostischen Kriterien der Selbstverletzung sind noch nicht allgemein verbindlich definiert. Darin sieht Levenkron[15] die Gefahr, dass trotz des schweren, körperlich gefährlichen und psychisch belastenden Verhaltens das Problem als zweitrangig behandelt wird. Er beschreibt folgende Kriterien zur Diagnose von Selbstverletzungen:

* wiederholtes Verletzen der eigenen Haut (...),
* ein Gefühl der Anspannung unmittelbar vor dem entsprechenden Handeln,
* der körperliche Schmerz geht einher mit Gefühlen von Entspannung, Befriedigung und einer angenehmen Betäubtheit,
* das Gefühl von Scham und Angst vor sozialer Ächtung bewirkt, dass der [die] Betroffene versucht Narben, Blut oder andere Anzeichen für das selbstzerstörerische Verhalten zu verbergen.

Beim letzten Kriterium entsteht ein Widerspruch, der nach meiner Einschätzung die Ambivalenz der Betroffenen widerspiegelt: Herpertz und Saß[16] nennen als einen Grund dafür, dass die meisten Selbstverletzungen an den Armen auftreten, die Möglichkeit die Verletzungen situationsabhängig mit entsprechender Kleidung zu verstecken oder sie gut sichtbar für die Umwelt offen zu legen. Auch Dagmar Preiß berichtet aus ihrer Erfahrung, dass jemand die Selbstverletzung mitbekommen soll, sichtbar z.B. in Form eines Pflasters. Andererseits berichten Betroffene, dass sie sich dafür schämen und Angst haben »verrückt« zu sein oder von anderen dafür gehalten zu werden. Auf diese Dynamik werde ich in Kapitel 2.3. und Kapitel 3.3. eingehen.

---

[14] Teuber 1999, S. 14
[15] Levenkron 2000, S. 24
[16] Herpertz und Saß 1994, S. 299

Hänsli[17] führt neben dem Kriterium der körperlichen Verletzung die Selbstverletzung als Handlung in einer psychischen Krise auf. Als typisch bezeichnet er auch, dass das Verhalten sozial nicht akzeptiert ist (außer bei Betroffenen, die auch in einer psychischen Krisensituation sind).

## 2.2. Hintergründe und Entstehungszusammenhänge

Aus den bisherigen Darstellungen ergibt sich zwangsläufig die Frage:„Warum verletzen sich viele junge Frauen selbst und wie wird die Selbstverletzung erlebt?" Zum besseren Verständnis der Dynamik und Funktion der Selbstverletzung werde ich nun zuerst auf die Erfahrungshintergründe der Betroffenen eingehen. Ich gehe dabei von einem Menschenbild aus das beinhaltet, dass jedes Verhalten eines Menschen rational ist und in einer Lebensphase entwickelt wird, in der es sinnvoll ist. Dieses Verhalten kann in einer anderen Lebensphase nicht mehr sinnvoll sein. Anschließend werde ich die Posttraumatische Belastungsstörung als Folge traumatisierend wirkender Erfahrungshintergründe und deren Zusammenhang mit der Selbstverletzung darstellen.

### 2.2.1. Erfahrungshintergründe

In der Biographie der Betroffenen tauchen bestimmte Erlebnisse gehäuft auf. Sachsse u.a. berichten, dass bei mindestens zwei Drittel aller Frauen mit Selbstverletzendem Verhalten klare Kindheitstraumata zu finden sind. In einer Studie (Auswertung von Krankenakten von 43 Patient(inn)en) stellen sie fest, dass 74 % der Betroffenen in ihrer Kindheit/Jugend auf mindestens eine Weise schwer traumatisiert wurden. 53 % durch schwere frühkindliche Vernachlässigung, 48 % durch körperliche Misshandlung und 46 % durch sexuellen Missbrauch.[18] Dies wurde von anderen Autoren bestätigt[19], wobei die Missbrauchshäufigkeit unterschiedlich angegeben wird: Herpertz und Saß[20] sprechen von alarmierend erscheinenden Missbrauchsangaben von 60-70 % bei von Selbstverletzung Betroffenen. Dies kann an der unterschiedlichen Definition des Begriffs Missbrauch liegen, der z.B. bei dieser Untersuchung psychischen

---

[17] Hänsli, 1996, S. 25
[18] Sachsse/Eßlinger/Schilling 1997, S. 12
[19] siehe Hänsli 1996, S. 95; Eckhardt 1994, S. 117ff; Paar 1996, S.151; Sachsse 1989, S. 97
[20] Herpertz und Saß 1994, S. 303

und sexuellen Missbrauch beinhaltet.[21] Diese Erfahrungen von Betroffenen werden durch schwere Krankheiten in der Kindheit, die mit häufigen Krankenhausaufenthalten verbunden sind, Trennungs- und Verlusterlebnisse (Scheidung, Tod), und aufgrund der schwierigen Familienverhältnisse entstehende „Heimkarrieren" der Kinder ergänzt.[22]

Bei diesen Problematiken handelt es sich um komplexe Themengebiete, die jeweils eine Diplomarbeit ausfüllen könnten. Deshalb werde ich nur kurz auf die für die Selbstverletzung wichtigsten Aspekte eingehen. Darüber hinaus verweise ich auf die umfangreiche Literatur zu Vernachlässigung/seelischer Misshandlung (Deprivation), körperlicher Misshandlung und sexuellem Missbrauch.

### 2.2.1.1. Seelische und körperliche Misshandlung

Unter dem Begriff der seelischen Misshandlung versteht Trube-Becker[23] u.a. Einsperren, Töten eines geliebten Tieres, Alleinlassen in der Wohnung, Beschimpfungen und Demütigungen, Anbinden an ein Möbelstück, während das Kind allein in der Wohnung zurückgelassen wird, häufiges Miterleben elterlicher Auseinandersetzungen, Liebesentzug, Zurückgesetztwerden gegenüber Geschwistern, Isolation durch Krankheit eines Elternteils oder durch eigene Behinderungen, Fehlen von Zeit und Gesprächsbereitschaft für das Kind usw.. Eine ablehnende Haltung dem Kind gegenüber kann ein Klima erzeugen, in dem sich ein Kind nicht mehr menschenwürdig entfalten kann.[24]

Das Nichtberücksichtigen kindlicher Bedürfnisse kann auch als Deprivation, d.h. als Vorenthalten für die Entwicklung wichtiger Reize (motorisch, sensorisch und geistig) bezeichnet werden.[25] Bei vielen Betroffenen waren die Eltern emotional nicht erreichbar oder in ihrer Elternrolle überfordert, so dass die Kinder früh die Elternrolle übernehmen mussten (Parentifizierung).[26] Sachsse[27] schildert mehrere Fälle psychisch kranker Mütter, bei denen die Töchter die

---

[21] Auf die unterschiedlichen Definitionen und Kriterien des sexuellen Missbrauchs kann ich nicht eingehen, da dies in dieser Arbeit zu umfangreich wäre, siehe hierzu Bange und Deegener 1996, S. 95ff.
[22] Eckhardt 1994, S. 103
[23] Trube-Becker 1987, S. 21
[24] Faltermeier 1997, S. 552
[25] Bergius 1998, S. 176
[26] Eckhardt 1994, S. 104
[27] Sachsse 1989, S. 98

Führung des Haushalts übernehmen mussten und sich für den späteren Suizid der Mutter verantwortlich fühlten. Aber auch „Overprotection" (Überbehütung) durch die Eltern zur Befriedigung ihrer eigenen Bedürfnisse kann seelische Misshandlung bedeuten.[28]

Unter körperlicher (physischer) Kindesmisshandlung werden Gewalthandlungen verstanden, die zu körperlichen Verletzungen (oder sogar zum Tod) des Kindes führen. Frauen, die sich selbst verletzen, haben diese Form der Gewalt oft in ihrer Familie erlebt. Körperliche Misshandlung steht im engen Zusammenhang zur seelischen Misshandlung, da sie ebenso dazu führen kann, dass sich das Kind in seiner Existenz bedroht fühlt. Aufgrund des bestehenden Machtgefälles fühlt sich das Kind ausgeliefert, es kann die jeweilige Reaktion der Eltern oder eines Elternteils nicht einschätzen. Problematisch ist auch, dass diese hinter den Fassaden des Elternhauses praktizierte „Erziehungsmethode" immer noch gesellschaftlich toleriert wird.[29]

Vernachlässigung ist eine weitere Form der Gewalt, die seelische und/oder physische Misshandlung bedeuten kann. Sie ist dadurch gekennzeichnet, dass das Kind von seinen „Eltern oder Betreuungspersonen unzureichend ernährt, gepflegt, gefördert, gesundheitlich betreut, beaufsichtigt und/oder vor Gefahren geschützt wird".[30]

### 2.2.1.2. Sexueller Missbrauch

Bange und Deegener[31] definieren sexuellen Missbrauch an Kindern als
> jede sexuelle Handlung, die an oder vor einem Kind entweder gegen den Willen des Kindes vorgenommen wird oder der das Kind aufgrund körperlicher, psychischer, kognitiver oder sprachlicher Unterlegenheit nicht wissentlich zustimmen kann. Der Täter nutzt seine Macht- oder Autoritätsposition aus, um seine eigenen Bedürfnisse auf Kosten des Kindes zu befriedigen.

---

[28] Schmeißer 2000, S. 50f
[29] Teuber 1999, S. 75f; Faltermeier 1997, S. 552
[30] Engfer 1986, S. 10. Hier werden körperliche und psychische Misshandlung, Vernachlässigung und sexueller Missbrauch als Formen der Misshandlung dargestellt. Auf die Diskussion zu den Kategorisierungen und verschiedenen Definitionen von Misshandlung werde ich in dieser Arbeit nicht eingehen.
[31] Bange und Deegener 1996, S. 105

Die meisten Autoren gehen davon aus, dass ein Zusammenhang zwischen sexuellem Missbrauch und Selbstverletzung besteht, „dies zieht sich wie ein roter Faden durch alle Untersuchungen".[32] Wie schon erwähnt, schwanken die Angaben zum Anteil der missbrauchten Frauen bei den von Selbstverletzung Betroffenen zwischen 46 % und 70 %. Teuber[33] kristallisiert aus ihren Interviews mit Expertinnen, die mit von Selbstverletzung betroffenen jungen Frauen arbeiten, heraus, dass bei fast allen sexueller Missbrauch bekannt war. Umgekehrt berichten Bange und Deegener von bewussten Selbstverletzungen als Symptome und Folgen des sexuellen Missbrauchs.[34] Der Umkehrschluss, dass jede Frau, die sich selbst verletzt, sexuell missbraucht wurde, kann nicht gezogen werden. Es wird aber deutlich, dass es sich dabei um einen wichtigen Aspekt handelt.[35]

Die Täter sind den Mädchen[36] oft bekannt, dies verstärkt den Zwiespalt. Das Mädchen ist abhängig, wünscht sich Zuwendung, kann aber nicht unterscheiden, wo die Grenzen sind. Sachsse[37] stellt bei zwei Drittel seiner Patientinnen dauerhaften sexuellen Missbrauch durch Väter, Stiefväter, Onkel und Brüder fest. Der Missbrauch kann aber auch außerhalb der Familie oder in sehr gewaltsamer und sadistischer Weise geschehen.[38] Besonders relevant für den sexuellen Missbrauch ist, dass er in einer „Atmosphäre der Verschwiegenheit"[39] stattfindet. Das Geschehen wird tabuisiert. Dabei fällt mir auf, dass viele Mädchen und junge Frauen darauf mit einem Verhalten (der Selbstverletzung) reagieren, das ebenfalls ein Tabu ist. Darauf und auf die Feststellung, dass Jungen auf den sexuellen Missbrauch „eher mit aggressivem und dissozialen Verhaltensweisen" reagieren, „während Mädchen eher zu depressiven und gegen sich selbst gerichteten Aggressionen neigen"[40], werde ich in Kapitel drei eingehen.

---

[32] Hänsli 1996, S. 91

[33] Teuber 1999, S. 70

[34] Bange und Deegener 1996, S. 196, siehe auch Tabelle 47, S. 194 und Tabelle 4, S. 93

[35] Schmeißer 2000, S. 74

[36] Ich spreche hier von Mädchen, da sie häufiger vom sexuellen Missbrauch betroffen sind und die Anzahl der Mädchen, für meinen Schwerpunkt der Frauen die sich selbst verletzen ausschlaggebend ist. Laut Bange und Deegener (1996, S. 49) erlebt jedes vierte bis fünfte Mädchen und jeder zwölfte Junge sexuelle Gewalt.

[37] Sachsse 1989, S. 97

[38] Eckhardt 1994, S. 117ff

[39] Teuber 1999, S. 72

[40] Bange und Deegener 1996, S. 87

## 2.2.1.3. Krankheit

Viele der von Selbstverletzung betroffenen Frauen haben in ihrer Kindheit und auch später unter Krankheiten und Verletzungen gelitten, die schmerzhafte medizinische Eingriffe erforderten. Kaplan[41] zählt „Anfälle" von Blindarmentzündung, starker Verstopfung (die zu unnötigen medizinischen Eingriffen führten) und zahlreiche Unfälle mit Knochenbrüchen auf. Die Mehrzahl der Erkrankungen dieser Frauen betrafen den gynäkologischen Bereich. In einer Gruppe junger Frauen mit Selbstverletzendem Verhalten wurde festgestellt, dass 60 % vor dem fünften Lebensjahr häufig chirurgische Eingriffe oder Krankenhausaufenthalte erlebt haben.[42] Das Mädchen ist dabei gezwungen, die oft unangenehmen und schmerzhaften Maßnahmen durchführen zu lassen. Oft kommt bei diesen Krankenhausaufenthalten noch die Trennung von den Eltern hinzu. Heute ist es üblicher, Eltern mit aufzunehmen, um dem Kind diese Erfahrung, die zusätzlich den Krankheitsverlauf negativ beeinflussen kann, zu ersparen.[43] Allerdings war dies in der Kindheit von Frauen, die heute von Selbstverletzendem Verhalten betroffen sind, eher noch nicht der Fall.

## 2.2.1.4. Beziehungsabbrüche

Hänsli[44] führt als wichtige Risikofaktoren für spätere Selbstverletzung den Verlust der Eltern durch Trennung oder Scheidung auf, wobei er als weiteren verstärkenden Faktor den Verlust bedeutender Beziehungspersonen in der Pubertät sieht (Eckhardt[45] ergänzt dies durch den Verlust durch Tod und die Trennung von Geschwistern).[46]

Die Beziehungsabbrüche ergeben sich zum Teil auch durch die Erfahrungen von emotionaler und physischer Misshandlung, sexuellem Missbrauch und Krankheit. Viele kommen aus schwierigen Familienverhältnissen, die von ökonomischen Problemen, Kinderreichtum, Arbeitslosigkeit, Alkoholmissbrauch und Gewalt geprägt sind - aufgrund dieser Situation verbringen einige der Betroffenen ihre Kindheit im Heim. Dagmar Preiß

---

[41] Kaplan 1991, S. 417
[42] Rosenthal et al. 1972, zitiert nach Eckhardt 1994, S. 111
[43] Eckhardt 1994, S. 111ff
[44] Hänsli 1996, S. 95
[45] Eckhardt 1994, S. 103
[46] Favazza und Conterio (1989, S. 284f) stellen in ihrer Untersuchung fest, dass von 240 Frauen mit Selbstverletzendem Verhalten, 29 % die Scheidung der Eltern und ein Drittel den Tod eines Familienmitglieds in ihrer Kindheit erlebten.

bestätigt, dass die Mädchen, die wegen Selbstverletzendem Verhalten in den Mädchengesundheitsladen kommen, oft aus dem stationären Bereich (Wohngruppen) sind. Die Trennungen können aber auch durch eine Krankheit der Eltern entstehen.

Schon bei den Häufigkeitsangaben fällt auf, dass viele von Selbstverletzung Betroffene mehrere solcher schwierigen Erfahrungen gemacht haben müssen. Im „Bericht zur gesundheitlichen Situation von Frauen" wird festgestellt, dass eine solche „multiple Viktimisierung" eher die Regel ist.[47] Dies wurde auch in einer Untersuchung über den Zusammenhang von Kindheitstraumata und Selbstverletzung festgestellt.[48]

Die Erfahrung von Missbrauch, Misshandlung und Krankheit haben viele Gemeinsamkeiten in der Auswirkung auf die kindliche Entwicklung. Die körperlichen und persönlichen Grenzen wurden auf verschiedene Arten überschritten, die persönlichen Bedürfnisse und Belastbarkeit wurden missachtet.[49] Die Mädchen erleben in diesen Situationen, dass andere (z.B. Eltern oder Ärzte) die Kontrolle über ihren Körper haben, sie fühlen sich ohnmächtig dem Schmerz ausgeliefert. Nicht nur der Körper wird bedroht, sondern beim sexuellen Missbrauch und den Eingriffen im Bereich des Unterleibs (wegen einer Krankheit) wird auch die Geschlechtlichkeit angegriffen. Dabei entstehende Gefühle wie Wut und Ärger können oft nicht ausgedrückt werden, da sie bei der meist in den Familien stattfindenden Gewalt mit direkter Bedrohung verbunden sind. Durch die Abhängigkeitsverhältnisse in Familien gerät das Mädchen in eine Gefühlsverwirrung aus Liebe und Hass. Eine Reaktion dabei ist, dass sich das Kind für das, was ihm angetan wird, schuldig fühlt, es verliert die Selbstachtung und kann kein von anderen unabhängiges Selbstwertgefühl entwickeln. Die Beziehungsabbrüche, aber auch die Unberechenbarkeit in Beziehungen zu den Bezugspersonen, führen zu einer Verunsicherung des Kindes, es erfährt keine Verlässlichkeit. Die geschilderten Familienverhältnisse entsprechen oft den von Goldbrunner geschilderten Merkmalen von „Problemfamilien".[50] Dies kann aber nicht als Kriterium

---

[47] Bundesministerium für Familie, Senioren, Frauen und Jugend 2001, S. 258
[48] Sachsse/Eßlinger/Schilling 1997, S. 16
[49] Eckhardt 1994, S. 111f
[50] Die Problemfamilie ist ein Begriff, der aus der praktischen Sozialarbeit stammt, sie ist durch sozioökonomische Belastungen und einen abrupten Wechsel der Beziehungsqualitäten

angesehen werden, da auch viele junge Frauen aus intakt erscheinenden Familienverhältnissen des Mittelstands oder aus Akademikerfamilien kommen.[51] Zahlenangaben über die Familienverhältnisse und die Anzahl der jungen Frauen in stationären Einrichtungen gibt es nicht.

Es zeigt sich, dass die Selbstverletzung ein multifaktorielles Phänomen ist, das nicht an einer sozialen Stellung festgemacht werden kann. Gemeinsam haben die meisten der sich selbst verletzenden jungen Frauen traumatisierende Erfahrungen. Auf die Bedingungen und Auswirkungen eines Traumas werde ich nun kurz eingehen, da dies ein wichtiger Aspekt ist, um die Selbstverletzung als Bewältigungshandeln zu verstehen.

### 2.2.2. Die Posttraumatische Belastungsstörung als Folge traumatischer Ereignisse

Wie ich schon unter 1.2.1. erwähnt habe, besteht ein enger Zusammenhang zwischen Selbstverletzung und der Posttraumatischen Belastungsstörung, die Folge eines Traumas sein kann. Ein Ereignis wirkt traumatisierend, wenn es das „Ich"[52] vorübergehend außer Kraft setzt. Ein Mensch wird dabei von diffusen, stark widersprüchlichen Affektstürmen überflutet. In diesem Zustand werden gleichzeitig oder in raschem Wechsel Gefühle von Todesangst, Ekel, Schmerz, Scham, Verzweiflung, Demütigung, Ohnmacht und Wut durchlitten.[53] Die in 2.2.1. beschriebenen Erfahrungshintergründe von jungen Frauen mit Selbstverletzendem Verhalten haben oft diese Wirkung und können zu einer Posttraumatischen Belastungsstörung führen, für die das DSM IV[54] folgende Kriterien nennt:

A. Die Person wurde mit einem traumatischen Ereignis konfrontiert, bei dem die beiden folgenden Kriterien vorhanden waren:
   (1)   die Person erlebte, beobachtete oder war mit einem oder mehreren Ereignissen konfrontiert, die tatsächlichen oder drohenden Tod oder

---

gekennzeichnet. Von dieser Problematik ist die ganze Familie betroffen. Auf die familiären Hintergründe kann ich innerhalb dieser Arbeit nicht weiter eingehen, siehe hierzu Goldbrunner 1989, S. 40ff.
[51] Eckhardt 1994, S. 103
[52] Unter dem „Ich" wird die Einheit der Person und des Selbst verstanden, dessen wichtigste Leistung die Abwehr als eine „seelische Schutzfunktion" ist. (Caspar 1998, 382f)
[53] Sachsse 1999a, S. 46
[54] DSM IV 1998, S. 491f

ernsthafte Verletzung oder eine Gefahr der körperlichen Unversehrtheit der eigenen Person oder anderer Personen beinhalteten.

(2)    Die Reaktion der Person umfasste intensive Furcht, Hilflosigkeit oder Entsetzen. (...)

B. Das traumatische Ereignis wird beharrlich auf mindestens eine der folgenden Weisen wiedererlebt:

(1)    Wiederkehrende und eindringliche belastende Erinnerungen an das Ereignis, die Bilder, Gedanken oder Wahrnehmungen umfassen können. (...)

(2)    Wiederkehrende, belastende Träume von dem Ereignis. (...)

(3)    Handeln oder Fühlen, als ob das traumatische Ereignis wiederkehrt (beinhaltet das Gefühl, das Ereignis wiederzuerleben, Illusionen, Halluzinationen und dissoziative[55] Flashback-Episoden, einschließlich solcher, die beim Aufwachen oder bei Intoxikationen[56] auftreten). (...)

(4)    Intensive psychische Belastung bei der Konfrontation mit internalen oder externalen Hinweisreizen, die einen Aspekt des traumatischen Ereignisses symbolisieren oder an Aspekte desselben erinnern.

(5)    Körperliche Reaktionen bei der Konfrontation mit internalen oder externalen Hinweisreizen, die einen Aspekt des traumatischen Ereignisses symbolisieren oder an Aspekte desselben erinnern.

C. Anhaltende Vermeidung von Reizen, die mit dem Trauma verbunden sind, oder eine Abflachung der allgemeinen Reagibilität[57] (vor dem Trauma nicht vorhanden). Mindestens drei der folgenden Symptome liegen vor:

(1)    bewusstes Vermeiden von Gedanken, Gefühlen oder Gesprächen, die mit dem Trauma in Verbindung stehen,

(2)    bewusstes Vermeiden von Aktivitäten, Orten oder Menschen, die Erinnerungen an das Trauma wachrufen,

(3)    Unfähigkeit, einen wichtigen Aspekt des Traumas zu erinnern,

(4)    deutlich vermindertes Interesse oder verminderte Teilnahme an wichtigen Aktivitäten,

(5)    Gefühl der Losgelöstheit oder Entfremdung von anderen,

---

[55] Dissoziation: Zerfall von Denkvorgängen und Handlungsprozessen (Tewes und Wildgrube 1999, S. 77)

[56] Intoxikation: Vergiftung (Duden 1997, S.375)

[57] Reagibilität: Fähigkeit, sehr sensibel zu reagieren (Duden 1997, S. 687)

(6)     eingeschränkte Bandbreite des Affekts (z.b. Unfähigkeit, zärtliche Gefühle zu empfinden),

(7)     Gefühl einer eingeschränkten Zukunft (z.B. erwartet nicht, Karriere, Ehe, Kinder oder normal langes Leben zu haben).

D.  Anhaltende Symptome erhöhten Arousals[58] (vor dem Trauma nicht vorhanden).

Mindestens zwei der folgenden Symptome liegen vor:

(1)     Schwierigkeiten ein- oder durchzuschlafen,

(2)     Reizbarkeit oder Wutausbrüche,

(3)     Konzentrationsschwierigkeiten,

(4)     übermäßige Wachsamkeit (Hypervigilanz),

(5)     übertriebene Schreckreaktion.

E.  Das Störungsbild (Symptome unter Kriterium B, C und D) dauert länger als 1 Monat.

F.  Das Störungsbild verursacht in klinisch bedeutsamer Weise Leiden oder Beeinträchtigungen in sozialen, beruflichen oder anderen wichtigen Funktionsbereichen.

*Bestimme,* ob:

Akut: Wenn die Symptome weniger als 3 Monate andauern.

Chronisch: Wenn die Symptome mehr als 3 Monate andauern.

(...)

Aus diesem Störungsbild ergeben sich wichtige Funktionen der Selbstverletzung, auf die ich nun eingehen werde.

## 2.3. Funktion und Dynamik der Selbstverletzung

Die Selbstverletzung hat für die Betroffene verschiedene Funktionen, das bedeutet, sie erfüllt eine bestimmte oder mehrere Aufgaben in ihrer Lebensbewältigung. Diese Funktion kann in verschiedenen Situationen unterschiedlich sein und sich im zeitlichen Verlauf und der daraus entstehenden Dynamik ändern. Die folgenden Beschreibungen über die subjektive Funktion, wichtige Aspekte von Dynamik und Funktion und die Auswirkung und Reaktionen im Umfeld der jungen Frau, die sich selbst verletzt, ergeben sich aus den genannten Quellen, dem Erfahrungsbericht einer Betroffenen, Gesprächen

---

[58] Arousal = Erregung (Willmann 1990, S. 42)

mit jungen Frauen mit Selbstverletzendem Verhalten, dem Interview mit einer Angehörigen sowie aus Erfahrungen und Interpretationen von Experten.

## 2.3.1.  Die Bewältigung von Gefühlen

Für die Betroffene ist die Selbstverletzung oft die einzige Möglichkeit mit auftauchenden Gefühlen, bzw. mit dem »Gefühl, keine Gefühle zu haben« umzugehen und dadurch handlungsfähig zu bleiben. Daraus ergeben sich folgende subjektive Funktionen der Selbstverletzung.

**„sich selbst spüren"**

Frauen mit Selbstverletzendem Verhalten geraten oft in Zustände, in denen sie das Gefühl haben ihren Körper nicht mehr zu spüren. Bei diesen Entfremdungsgefühlen kann sich die Betroffene abgestorben fühlen, das Schmerzempfinden setzt aus.

> *„Es ist der absolute Ausnahmezustand, mir fehlt der Boden unter den Füßen - ich fühle mich wie im Vakuum, ich schreie innerlich nur noch um Hilfe - doch äußerlich sieht man mir nichts an."* Betroffenenbericht

Diese Depersonalisationszustände[59] treten oft im Zusammenhang mit bedrohlichen Gefühlen auf. Sachsse[60] bezeichnet diese Fähigkeit zur „Dissoziation" (Abspaltung von Gefühlen, Gedanken und Einstellungen) als grundlegend für die menschliche Realitätsbewältigung. Bei Menschen, die ein Trauma erlebt haben (dies ist, wie ich bereits geschildert habe, bei Frauen, die sich selbst verletzen, oft der Fall), kann ein Reiz - sei es ein Geruch, ein Geräusch, eine Situation, ein Satz oder ähnliches - die damals erlebte Situation wiederbeleben, die nicht verarbeiteten Gefühle auslösen. Diese Reize werden auch „Trigger"[61] genannt. Obwohl die Dissoziation als Schutzmechanismus[62] verstanden werden kann, der die auftauchenden bedrohlichen Erinnerungen ausschaltet, wird die emotionale Betäubung als quälend und unerträglich beschrieben. Die Betroffenen haben Angst durchzudrehen, sie fühlen sich tot

---

[59] „Depersonalisation (lat. Entpersönlichung) [ist ein] Zustand der Selbstentfremdung (...), wobei sowohl das eigene Ich wie die Umwelt traumhaft unwirklich erscheinen und das Ichbewusstsein im Handeln fehlt. Auch der eigene Körper oder einzelne Körperteile können fremdartig sein." (Häcker und Stapf 1998, S. 175)

[60] Sachsse 1999a, S. 47

[61] Waller (1997, S. 25) bezeichnet Trigger als „Auslöse-Ereignisse".

[62] Reddemann und Sachsse sprechen von einem Trauma-Coping-Mechanismus (1997, S. 118)

2. Selbstverletzendes Verhalten junger Frauen

und doch sind sie lebendig. Diese Situation wird durch die Selbstverletzung beendet. Die jungen Frauen kommen sich und der Umwelt wieder näher, sie können den langsam einsetzenden Schmerz und damit sich selbst wieder spüren. Beim Schneiden der Haut führt „das rote, warme Blut (...) zur Beruhigung, weil es Lebendigkeit demonstriert".[63] Sachsse weist an verschiedenen Stellen darauf hin, dass Selbstverletzendes Verhalten das beste Anti-Dissoziativum ist und dies eine wichtige Bedeutung bei der Selbstverletzung hat.[64] Hier wird der Zusammenhang zwischen den Erfahrungshintergründen von Frauen, die sich selbst verletzen, der Posttraumatischen Belastungsstörung und der Selbstverletzung an sich deutlich.[65]

**„den inneren Schmerz nicht spüren"[66]**

Auch im Alltag gibt es Menschen, die sich in einem Zustand von Verzweiflung z.B. die Hand blutig schlagen. Ebenso kann die bewusste Selbstverletzung auch die Funktion haben, den emotionalen Schmerz, unter dem die junge Frau leidet, in körperlichen Schmerz umzuwandeln.[67] Dieser ist ihr oft schon aus ihrer Biographie vertrauter. In der Literatur wird von einer Reinszenierung dessen gesprochen, was die Frau in ihrer Kindheit erlebt hat. Durch Grenzverletzungen geprägt, überschreitet sie nun selbst ihre, durch die Haut markierten Körpergrenzen. Der Schmerz wird sichtbar. Für eine körperliche Verletzung gibt es allgemein bekannte Vorgehensweisen. Die Betroffene kann nun ihre Wunden versorgen, was damals nicht geschehen ist. Dies kann auch als unbewusster Bewältigungsversuch der früheren Erfahrungen verstanden werden.[68]

**„den Druck abbauen"**

Viele junge Frauen mit Selbstverletzendem Verhalten kennen keine Wut oder keinen Ärger, sie sind unfähig, Aggressionen zu empfinden und sie direkt auszudrücken. Hier möchte ich wieder auf die Biographie der Betroffenen verweisen, die die Erfahrung gemacht haben, dass es zu gefährlich ist, negative

---

[63] Eckhardt 1994, S. 116

[64] Sachsse 1999a, S. 52; Sachsse/Eßlinger/Schilling 1997, S. 19

[65] Sachsse 1999a, S. 46ff; Reddemann und Sachsse 1997, S. 116; Sachsse 2000, S. 362; Eckhardt 1994, S. 116f; Teuber 1999, S. 63; siehe auch Smith/Cox/Saradjian 2000, S. 48f

[66] In Anlehnung an Smith/Cox/Saradjan 2000: Selbstverletzung - „Damit ich den inneren Schmerz nicht spüre".

[67] Auf die Tendenz, inneren Schmerz bzw. psychische Probleme über den Körper auszudrücken, werde ich in Kapitel 3.3. eingehen.

[68] Smith/Cox/Saradjan 2000, S. 53; Levenkron 2000, S. 114; Eckhardt 1994, S. 111; Sachsse 1999, S. 50; Hänsli 1996, S. 132

Gefühle auszudrücken oder es gar nicht aushaltbar wäre, überhaupt Gefühle zu haben. Dagmar Preiß bestätigt, dass es sich zum Teil um »angepasste, brave Mädchen« handelt, die keine eigenen Bedürfnisse wahrnehmen. Die jungen Frauen nehmen diese Gefühle oft nur in Form einer diffusen inneren Spannung oder Leere wahr. Dabei steigt der Druck sich selbst zu verletzen, gegen den oft lange gekämpft wird. Wird die Selbstverletzung ausgeführt, führt diese zu einer Entspannung, sie wird als „Ventil für inneren Druck" erlebt. Sie füllt als „Antidepressivum" das Gefühl der bestehenden inneren Leere aus. Wut und Ärger, die eigentlich andere Personen betreffen müssten, richten diese jungen Frauen in Form der „Autoaggression" gegen sich selbst. Dass dies als eine spezifisch weibliche Reaktion verstanden werden kann, werde ich in Kapitel 3.1. aufgreifen.[69]

**„Kontrolle ins Chaos"**

Dem Zustand keine Gefühle zu haben steht ein Zustand gegenüber, in dem viele Gedanken und Gefühle gleichzeitig über die Betroffene hereinbrechen. Dies kann durch Auslöser in Beziehungen entstehen, in denen sich viele als extrem verletzlich beschreiben. Mit „eine Mimose ist Beton gegen mich" schildert eine Patientin von Gneist[70] diese Verletzlichkeit. Dagmar Preiß berichtet, dass die jungen Frauen mit den geraden parallelen Schnitten oft versuchen, wieder Ordnung ins Chaos zu bringen. Sie fühlen sich hilflos und ausgeliefert. Die Selbstverletzung kann somit als ein Versuch, Kontrolle über sich zu bekommen, verstanden werden. (Andererseits charakterisieren Herpertz und Saß[71] sie als „Impulskontrollstörung", da mit den Gefühlen nicht angemessen umgegangen werden kann.)[72]

**„um sich selbst zu bestrafen"**

Viele junge Frauen, die sich selbst verletzen, stellen sehr hohe Anforderungen an sich selbst. Wenn sie diesen im privaten oder beruflichen Bereich nicht gerecht werden können, entwickeln sie Wut auf sich selbst, Selbsthass und Selbstbeschuldigungen. Sie fühlen sich als »schlechte Menschen«, für Vieles verantwortlich und für Vieles schuldig. (Dies kann auch im biographischen Zusammenhang gesehen werden, schon damals das Gefühl gehabt zu haben,

---

[69] Eckhardt 1994, S. 114f; Hänsli 1996, S. 129; Sachsse 2000, S. 360; Sachsse 1999a, S. 51
[70] Gneist 1997, S. 164
[71] Herpertz und Saß 1994, S. 300
[72] Sachsse 2000, S. 363; Hänsli 1996, S. 131

selbst Schuld an dem, was ihnen oder anderen zugefügt wurde, zu sein.[73]) Im Anschluss an die Selbstverletzung treten bei den meisten Betroffen Schuldgefühle, Scham und Trauer auf. Hier entsteht ein Kreislauf: Durch Selbstbestrafung in Form der Selbstverletzung sollen Schuldgefühle beseitigt werden, gleichzeitig entstehen diese Gefühle wieder durch die schambesetzte, allgemein oft als »pervers« aufgefasste Handlung.[74]

**„ein heimlicher Stolz"**

Die meisten Menschen haben Angst vor Verletzung und Schmerz. Die Selbstverletzung kann Betroffenen das Gefühl von Stolz - auf den Mut, die Macht, die Unabhängigkeit vom Körper und die eigene Schmerzunempfindlichkeit - geben. Diese Kontrolle zu haben und sich dadurch als »besonders« zu fühlen, ist oft die einzige Möglichkeit, die die jungen Frauen haben, um ihr Selbstwertgefühl zu stärken. Manche identifizieren sich über die Selbstverletzung, in dem sie sich als „Selbstverletzerin" bezeichnen. Diese Funktion des Selbstverletzenden Verhaltens wird von verschiedenen Autoren[75] als narzisstischer Gewinn bzw. narzisstisches Regulativ bezeichnet.[76]

### 2.3.2.  Wichtige Aspekte von Dynamik und Funktion

Die subjektiven Funktionen des Selbstverletzenden Verhaltens in Form der Bewältigung von Gefühlen zeigen, dass nicht der Tod das Ziel der Betroffenen ist. Trotzdem besteht ein Zusammenhang und Abgrenzungsbedarf zum Suizid. Weitere Punkte zum Verständnis der Dynamik und Funktion der Selbstverletzung, die ich thematisieren werde, sind biologische Aspekte und die daraus entstehende Frage »ob Selbstverletzung süchtig macht« oder »nur« nachgeahmtes Verhalten ist sowie die kommunikativen Aspekte der Selbstverletzung.

---

[73] Zur Problematik von Schuld und Scham bei missbrauchten Kindern, siehe Eckhardt 1994, S. 128.

[74] Sachsse 2000, S. 361; Smith/Cox/Saradjian 2000, S. 50ff; Herpertz und Saß 1994, S. 300; Kaplan 1991, S. 411

[75] Sachsse 2000, S. 362; Hänsli 1996, S. 136; Sachsse 1999a, S. 52

[76] Narzissmus meint nicht nur das egozentrische Kreisen um sich selbst. (Stauss 1995, S. 7) Eine narzisstische (den Selbstwert betreffende) Persönlichkeit ist durch tiefe Selbstzweifel und Minderwertigkeitsgefühle gekennzeichnet, die über Attraktivität, Leistung, Perfektionismus und etwas Besonderes zu sein ausgeglichen werden sollen. Bärbel Wardetzki prägte hierfür den Begriff des „Weiblichen Narzissmus", siehe Wardetzki 1995, S. 13.

## 2.3.2.1.  Selbstverletzung und Suizid

Oft wird eine Selbstverletzung fälschlicherweise für einen Suizidversuch[77] gehalten, vor allem bei Schnittverletzungen an den Unterarmen.

*„Das erste mal, da hat sie sich an den Pulsadern verletzt, (...) für mich war das ein Suizidversuch. Ich habe nichts anderes gedacht, ich hab das gar nicht gewusst, ich hab das noch nie gehört.“* Frau Abel

Die meisten Betroffenen berichten allerdings, dass sie sich selbst verletzen, um weiterleben zu können. „Sie wollen die schmerzhaften Bewusstseinszustände lindern, um so andere Anforderungen des Lebens bewältigen zu können."[78] Selbstverletzung kann somit auch als „Suizidprophylaxe" verstanden werden, ein partieller Suizid oder Suizidersatz zur Entlastung, um sich verübergehend zu narkotisieren. Die Selbstverletzung kann als Symbol gesehen werden, für den Suizid, den sich die jungen Frauen gelegentlich wünschen.[79] Allerdings muss damit vorsichtig umgegangen werden, da viele junge Frauen mit Selbstverletzendem Verhalten auch Suizidversuche (meist auch mehrere akut lebensbedrohliche) hinter sich haben. Teuber[80] nimmt an, dass junge Frauen mit Selbstverletzendem Verhalten wissen, dass sie, um sich umzubringen, die Pulsadern der Länge nach öffnen müssten, die Betroffenen aber quer schneiden würden. Daraus schließt sie, dass ein beabsichtigter Suizid an den Schnitten erkennbar wäre. Aus den mir bekannten Erfahrungen von Betroffenen stimme ich dieser Feststellung nicht zu. Ich schließe mich der Meinung von Sachsse an, dass Selbstverletzung und Suizid keine sich ausschließenden Gegensätze sind und in jeder Situation neu eingeschätzt werden müssen.[81]

---

[77] Unter Suizid verstehe ich „den durch gewollte und gezielte Handlung herbeigeführten eigenen Tod". (Böcker 1997, S. 820) Ich verwende den Begriff Suizid und nicht den Begriff des Selbstmordes, der immer noch weit verbreitet ist, da dieser eine starke Wertung beinhaltet. In § 211 StGB (Strafgesetzbuch) wird Mord als Tat aus niederen Beweggründen definiert.

[78] Smith/Cox/Saradjian 2000, S. 22

[79] Teuber 1999, S. 106

[80] Teuber 1999, S. 53

[81] Sachsse 1999a, S. 36f; Sachsse 2000, S. 361; Hänsli 1996, S. 39ff und S. 136

## 2.3.2.2.  Biologische Aspekte - Selbstverletzung als Sucht?

Der schon beschriebene spannungslösende, entlastende Aspekt der Selbstverletzung wird zum Teil auch auf biochemische Vorgänge zurückgeführt. Diese Hypothesen beinhalten die Feststellung, dass der Körper bei Stress (eine Verletzung kann als Stress gewertet werden) Endorphine ausschüttet, diese haben eine ähnliche Wirkung wie Opiate. Bei der Selbstverletzung werden so angenehme, rauschartige Gefühle ausgelöst, die sich die Betroffene immer wieder wünscht. Dies kann zur Verstärkung der Problematik führen. (Dies ist auch ein Aspekt der lerntheoretischen Erklärung von Selbstverletzendem Verhalten.)[82] Aus den biologischen Annahmen ergeben sich auch Medikationsversuche, die bisher nicht erfolgversprechend sind, aber trotzdem durchgeführt werden.[83] Eine weitere Folgerung der biologischen Aspekte ist die Frage, ob Selbstverletzung als Sucht verstanden werden kann. Dies möchte ich anhand der Kriterien für „Substanzabhängigkeit" des DSM IV[84] untersuchen:

• Es wird von einem überwältigenden Verlangen nach dem „Suchtmittel" und dieses zu bekommen ausgegangen. Eckhardt[85] berichtet über Aussagen von Betroffenen, sich auf Entzug zu fühlen, wenn die Selbstverletzung verhindert wird. Der Gedanke sich selbst zu verletzen ist mit steigendem Druck verbunden, bis die Betroffene sich verletzt. Manche reagieren mit panikartigen Zuständen, wenn sie keinen Gegenstand haben um sich zu verletzen. Teuber berichtet von enormem Erfindungsreichtum um an scharfe Gegenstände zu gelangen.[86]

• Es besteht eine Tendenz die Dosis zu erhöhen (Toleranz). Hierfür spricht, dass mit der „Länge des Krankheitsverlaufes" die Selbstverletzungen zunehmen und sich verstärken.[87] Es könnte also davon ausgegangen werden, dass es immer tiefere Wunden und extremere Verletzungen benötigt um

---

[82] Eckhardt 1994, S. 99ff; Herpertz und Saß 1994, S. 301f

[83] Auf die umfassende Diskussion zur pharmakologischen Therapie von Selbstverletzung gehe ich nicht ein, siehe hierzu Sachsse 1999a, S. 29ff sowie Herpertz und Saß 1994, S. 304.

[84] DSM IV 1998, S. 227; Becker und Bröner 1997, S. 937f; Sucht als substanz- bzw. stoffungebundene Störung wird im DSM IV nicht aufgeführt. Obwohl es bei der Selbstverletzung nicht um eine „Substanz" geht, eignen sich die Kriterien, wie ich im Folgenden zeigen werde, zur Untersuchung der Selbstverletzung bezüglich süchtiger Merkmale.

[85] Eckhardt 1994, S. 101f

[86] Teuber 1999, S. 51

[87] Eckhardt 1994, S. 101

angenehme Gefühle zu erreichen (also eine Toleranz gegenüber der Endorphinausschüttung oder der Sensorik der Haut).

- Die psychische und in der Regel auch physische Abhängigkeit von der Wirkung des Mittels führt nach der Unterbrechung zu Entzugssymptomen. Dafür sprechen die schon genannten Aussagen von Betroffenen und dass das Selbstverletzende Verhalten abgelöst von der ursprünglichen Situation ein Eigenleben führen kann, es kann sich generalisieren und in jeder alltäglichen Stresssituation auftreten.[88]

- Das Verhalten hat schädliche Folgen für die „Abhängige" und die Gesellschaft. Die körperlichen Folgen in Form der Narben sind oft offensichtlich. Das Verhalten kann, wie schon dargestellt, auch tödlich sein. Für die Betroffenen würde ich die Schädlichkeit auch im psychischem Bereich festmachen, in dem sie sich dadurch oft als »verrückt« und ausgeschlossen empfinden. Ob es für die Gesellschaft schädlich ist, ist eine weitgehende Frage. Die Betroffene verletzt oft sich, um niemand anderem Schaden zuzufügen. Daraus folgere ich die Hypothese, dass es einerseits darum geht, gesellschaftlichen Schaden (bzw. Schaden in Beziehungen) zu verhindern, andererseits ist die Betroffene ein Teil der Gesellschaft und auch Menschen, die mit ihr in Beziehung stehen, können sich dadurch verletzt fühlen.

Eckhardt[89] betont, dass Hypothesen von Selbstverletzung als Sucht noch nicht genügend wissenschaftlich belegt sind und es sich ebenso um gelerntes Verhalten über die Verstärkung der angenehmen Wirkung handeln kann. Es bleiben viele Fragen offen. Ist der Schmerz das »Suchtmittel« (der Schmerz wird gesucht!), die Verletzung oder die Kombination? In diesem Bereich wären genauere wissenschaftliche Untersuchungen nötig. Aufgrund der auffälligen Gemeinsamkeiten stimme ich Sachsse zu, der erwähnt, dass die Selbstverletzung „süchtigen Charakter" bekommen kann.[90] Dafür spricht für mich auch die oft auftauchende Symptomverschiebung zu einer (anderen) Suchtproblematik.[91]

---

[88] Sachsse 1999b, S. 31
[89] Eckhardt 1994, S. 102
[90] Sachsse 1999a, S. 57
[91] Sachsse 1999a, S. 37

## 2.3.2.3.  Selbstverletzung als nachahmendes Verhalten

> *„Am Anfang dachte ich, sie hat es bei irgend jemand anderem mitgekriegt und jetzt macht sie das auch, weil ich selber hab das noch nie gehört und wenn man das noch nie gehört hat, kommt man gar nicht auf die Idee."*
>
> *Frau Abel*

Doch die meisten jungen Frauen kommen von selbst darauf, dass es ihnen Erleichterung verschafft sich in schwierigen Situationen selbst zu verletzen.

Bei der Umfrage von Favazza und Conterio[92] in den USA gaben von 240 Betroffenen 91 % an, dass die erste Selbstverletzung „einfach so passierte" und sie noch nie davon gehört oder gelesen hatten.

> *„Ich spürte zum ersten Mal den Druck, als ich eine Nagelschere in der Hand hatte. Ich hielt es kaum aus, die Spitze nicht in meinen Schenkel zu schlagen. Mir machte es Angst, ich konnte es nicht einordnen. Erst über ein halbes Jahr später verletzte ich mich zum ersten mal selbst. Damit war für mich eine Hemmschwelle weg."*          *Betroffenenbericht*

Nur 6 % kannten andere Menschen mit Selbstverletzendem Verhalten oder hatten darüber gelesen. Einzelne hatten die Selbstverletzung in Form von oberflächlichem Schneiden in Gruppen von Jugendlichen erlebt.[93] Dagmar Preiß vergleicht in Gruppen auftretende Selbstverletzung mit der Bulimie. Dort kann es vorkommen, dass gemeinsam viel gegessen und dann erbrochen wird. Dies »kann« ein Einstieg in die Sucht sein. Sie betont, dass wie auch bei der Selbstverletzung, diejenigen, die nichts damit anfangen können, schnell wieder damit aufhören. Die jungen Frauen, die weiter machen, hätten auch sonst eine Möglichkeit gefunden. Teuber[94] berichtet, dass Betroffene eher erstaunt sind, dass sich andere auch selbst verletzen. Die Nachahmung ist von der vor allem im klinischen Bereich auftauchenden Gruppendynamik der Selbstverletzung abzugrenzen. Auf den Aspekt der Gruppenzugehörigkeit und Millieubildung als Teil des Lebensbewältigungskonzepts werde ich in Kapitel vier eingehen.

---

[92] Favazza und Conterio 1989, S. 288
[93] Favazza et al. 1989, zitiert nach Eckhardt 1994, S. 44
[94] Teuber 1999, S. 54

## 2.3.2.4.  Kommunikative Aspekte der Selbstverletzung

Selbstverletzung hat zwischenmenschliche Wirkungen, obwohl diese oft nicht beabsichtigt sind. Die Selbstverletzung kann „Signalfunktion" haben, ein Hilferuf sein. Sachsse[95] bezeichnet sie als „averbalen Appell" - Gefühle auszudrücken, die nicht in Worte gefasst werden können. Sie kann aber auch zur Bestrafung anderer Menschen erfolgen (als Pendant zur Selbstbestrafung, die ich in 2.3.1.5. dargestellt habe), vor allem um der Familie oder dem/den ehemaligen Täter/n[96] zu zeigen, dass Schaden angerichtet wurde.[97] Die Selbstverletzung löst bei anderen oft das aus, was in den Betroffenen vorgeht. Einerseits ein Hilferuf und andererseits »ich lass mir nicht helfen«, »ich brauche niemanden«. Somit ist es die Möglichkeit des „Ausdrucks des inneren Zwiespalts". Auf die Dynamik der Selbstverletzung in Beziehungen werde ich in Kapitel 2.3.3. ausführlich eingehen.

Im Verlauf der Selbstverletzungshandlungen können diese Aspekte an Bedeutung gewinnen. Sie können manipulativen Charakter annehmen oder die Flucht vor sozialer Überforderung bedeuten. Allerdings ist dies laut Sachsse seltener als unterstellt wird.[98]

Aus der Funktion und Dynamik der Selbstverletzung lässt sich ein Selbsthilfecharakter des Selbstverletzenden Verhaltens schließen.[99] Hänsli bezeichnet sie als Autotherapie, die allerdings verschiedene Probleme aufwirft. Die Selbstverletzung schafft nur kurzfristige Erleichterung, sie reduziert Symptome, die zugrundeliegende Problematik bleibt aber bestehen. Durch die dauernde Wiederholung kann die Selbstverletzung (losgelöst von den bisherigen, vor allem dissoziativen Zuständen) für immer mehr Situationen die Lösung darstellen. Auch die körperliche Schädigung ist zu berücksichtigen. Das Selbstverletzende Verhalten kann längerfristig zum sozialen Ausschluss führen und mit zunehmender Verzweiflung steigt das Risiko, dass die Selbstverletzung tödlich endet.[100] Trotzdem können die Betroffenen zwischen dem Impuls sich

---

[95] Sachsse 1999a, S. 53
[96] Da es sich hierbei überwiegend um Männer handelt, verwende ich die männliche Form.
[97] Smith/Cox/Saradjian 2000, S. 52
[98] Sachsse 2000, S. 364; Hänsli 1996, S. 139ff
[99] Herpertz und Saß 1994, S. 300
[100] Hänsli 1996, S. 134f

selbst zu verletzen und einem Suizidimpuls unterscheiden, sie wollen das Leben nicht beenden, sondern damit besser klar kommen. [101]

Auch wenn die Selbstverletzung problematisch ist, zeigt sie sich somit als Ressource der Betroffenen. Für sie ist es eine Möglichkeit, ihr Leben zu bewältigen, den Alltag aufrecht zu erhalten. Es scheint darum zu gehen, dies nicht mehr zu Lasten der eigenen Person, des eigenen Körpers zu schaffen, sondern andere Möglichkeiten zu entwickeln. Aus meiner Sicht ist dabei Unterstützung von außen nötig. Auf diesen Bereich als Handlungsfeld der Sozialen Arbeit werde ich in Kapitel fünf eingehen.

### 2.3.3. Selbstverletzung und Beziehungen

Während des Verfassens dieser Arbeit erlebte ich in meinem Umfeld ein breites Spektrum an Reaktionen auf das Thema. Eine Aussage:

*„So eine [junge Frau, die sich selbst verletzt,] hatten wir auch mal an meiner Arbeitsstelle, die hat sich an den Handgelenken rumgeschnitten, aber die wollte sich ja nicht mal umbringen, die wollte ja »nur« auf sich aufmerksam machen."*

Die Beschäftigung mit dem Thema zeigte mir, dass diese Erfahrungen von mir verallgemeinerbar sind. Reaktionen in der Umgebung, von der Familie, Freunden aber auch von der Fachwelt zeigen oft Unverständnis, Furcht, Ekel und Wut auf die jungen Frauen. Eckhardt schildert die Reaktionen der Umgebung mit Rückzug - um sich vor den eigenen Gefühlen zu schützen, Abgrenzung durch Verurteilung - wie es von anderen Randgruppen bekannt ist und Bestrafungswünschen. Sie kritisiert, dass die Not der Betroffenen dabei nicht erkannt wird. [102] Um diese Reaktionen und Gefühle fassbar zu machen, werde ich nun verschiedene Personengruppen thematisieren, mit denen viele junge Frauen mit Selbstverletzendem Verhalten in Beziehung stehen.

### 2.3.3.1. Die Familie

Die Reaktion der Angehörigen, wenn sie bemerken, dass ihre Tochter (Schwester, Partnerin usw.) sich selbst verletzt, wird als unsensibel, mit Unverständnis, Entsetzen und mit Vorwürfen (»Du willst mich nur ärgern«)

---

[101] Sachsse 1999a, S. 154
[102] Eckhardt 1994, S. 92ff

beschrieben. Viele junge Frauen, die sich selbst verletzen, haben keine guten Erfahrungen mit Angehörigen. Dies kann auch daher kommen, dass die Problematik oft aus der Familie entsteht.[103] Mir kommt diese Darstellung sehr verkürzt vor, die Familie oder der Partner ist oft der engste Bezugsrahmen der Betroffenen, deshalb stellte ich die Frage, was die Selbstverletzung bei den Angehörigen auslöst. Anhand des Interviews mit Frau Abel werde ich die Betroffenheit von Angehörigen beispielhaft darstellen.

Frau Abels Tochter Sandra hat sich ab dem Alter von 20 Jahren über mehrere Jahre selbst verletzt. Sie kann sich vorstellen, dass Sandra es auch heute, wenn sie verzweifelt ist, noch tut. Frau Abel berichtet aber, dass es ihr inzwischen besser geht. Im Interview wurde deutlich, wie schwer es Frau Abel fällt, darüber zu reden und dass es noch heute ein belastendes Thema ist. Besonders wichtig erschien der Aspekt der Verzweiflung auf beiden Seiten, bei ihr und ihrem Mann (den Eltern), wie auch bei Sandra. *„Die Verzweiflung war so groß, dass ich einmal gedacht habe: »Ich probier's auch mal«."* Frau Abel beschreibt sich und ihren Mann als absolut hilflos. Die Situationen der Selbstverletzung waren verschieden, doch *„manchmal ahnte ich schon: »Jetzt passiert es wieder«".* Frau Abel hat Sandra (solange sie noch zu Hause lebte) die Gegenstände, die sie um sich zu verletzen benutzte weggenommen oder hat ihr, wenn sie es mitbekommen hat, beim Verbinden geholfen. *„Für mich war das jedes Mal, wie wenn es ein Schnitt in mich selber wäre (...) [obwohl] es Alltag wurde".* Frau Abel berichtet, dass sie ihre Tochter in diesen Situationen gern in den Arm genommen hätte, Sandra aber in diesem Zustand niemanden an sich heran ließ. Im Gespräch wurde auch die Problematik deutlich, dass Hilfe von der Mutter in diesem Alter oft nicht erwünscht ist, die Mutter die Bindung aber als sehr nah erlebt. *„Die Mutter erlebt da selber einen starken Schmerz, durch das kann sie sich hineinversetzen".*[104] Aus dieser Sicht interpretiert Frau Abel das Verhalten ihrer Tochter heute als *„furchtbarer Hilfeschrei (...) um einen größeren Schmerz als den inneren zu haben"* und erklärt rückblickend, dass es »Quatsch ist zu schimpfen« und Vorwürfe zu machen, weil es nicht ankommt. Als ein weiteres Problem schildert sie, dass mit niemandem darüber gesprochen werden kann. *„Man geniert sich zuzugeben, dass die Tochter so etwas macht".* Dies zeigt ein Defizit im öffentlichen Umgang mit der Thematik der Selbstverletzung, worauf ich anschließend eingehen werde. Außerdem wird

---

[103] Sachsse 1999b, S. 33; Levenkron 2001, S. 65
[104] Auf die Thematik der Ablösung von den der Mutter/den Eltern werde ich in Kapitel drei eingehen.

hier schon die Problematik deutlich, »dass nicht nur die Betroffene, die junge Frau, die sich selbst verletzt, betroffen ist«, sondern auch ihr nahe stehende Personen - die Eltern, Geschwister oder der Lebenspartner. Auch Freunde und Bekannte stellen oft hohe Anforderungen an sich und es ist ein großes Problem für sie, dass sie die Selbstverletzung nicht verhindern können.[105]

## 2.3.3.2.  Die Öffentlichkeit

Die Selbstverletzung gerät immer mehr ins Licht der Öffentlichkeit, ob in Fernsehsendungen, Zeitschriften oder Tageszeitungen. Levenkron[106] beschreibt, dass dies anfangs durch die Darstellung von Frauen mit Selbstverletzendem Verhalten als „völlig abgedrehte Individuen" geschah. Er zeigt hier einen großen Mangel in der Information der Bevölkerung auf und hält es für wichtig, für die Betroffenen die Krankheit ins Bewusstsein der Öffentlichkeit zu bringen. Er vergleicht die momentane Situation mit der Einstellung gegenüber Magersüchtigen in den 70er Jahren, die mit ihrer „selbst verschuldeten Krankheit" zu (ver)hungern, obwohl sie genug zu essen hätten, und ihrem unkooperativen Verhalten kostbare Zeit und Geld vergeuden würden. Damals haben sich junge Fachleute dem Thema angenommen um Verständnis zu schaffen. Dies ist nach Levenkrons Einschätzung, der ich mich anschließe, jetzt für die Thematik der Selbstverletzung notwendig.[107] Auch Frau Abel benutzt diesen Vergleich:

> „Verschiedene Bekannte wissen, dass meine Tochter magersüchtig ist oder war, aber die Selbstverletzung ist ein Tabu. Das würde ich nie jemand erzählen. Magersucht ist bekannt, aber bei der Selbstverletzung würde jeder normale Mensch sagen: »So was macht man doch nicht«."

Hier sehe ich einen Bedarf an Öffentlichkeitsarbeit. Auf die gesellschaftlichen Ursachen der Haltung gegenüber der Selbstverletzungsproblematik und den Zusammenhang zu Essstörungen werde ich in Kapitel drei eingehen.

---

[105] Sachsse 1999b, S. 33
[106] Levenkron 2001, S. 66
[107] Levenkron 2001, S. 64

## 2.3.3.3. Der Professionelle Bereich

Bei den Menschen, die beruflich mit jungen Frauen, die sich selbst verletzen, zu tun haben, muss zwischen Mitarbeitern im pädagogischen Bereich, Ärzten und in der Beratung Tätigen differenziert werden. Ich schließe den Bereich der stationären Therapie aus, da er umfassend betrachtet wurde[108] und Therapie nicht das Thema dieser Arbeit ist.

Im pädagogischen Bereich berichtet Dagmar Preiß vor allem von Mitarbeiterinnen aus dem Bereich der Wohngruppen. Bei ihnen löst die Selbstverletzung Hilflosigkeit und Wut aus. Dort ist die Problematik ähnlich wie in der Familie, da es um den gemeinsamen Alltag geht. Es entsteht die Frage, wie mit diesen jungen Frauen umgegangen werden soll. Bei Ärzten, die von den Betroffenen zur Wundversorgung aufgesucht werden, löst die Selbstverletzung verschiedene Reaktionen aus. Es wird von entwürdigender Behandlung, Einweisung in die Psychiatrie (aufgrund der Annahme eines Suizidversuchs) oder Bestürzung berichtet.[109]

> *„Das nächste Mal würde ich lieber verbluten, als mich noch einmal so*
> *behandeln zu lassen."*                          *Betroffenenbericht*

Auch im Bereich der Beratung und Therapie kommt es vor, dass junge Frauen, die sich selbst verletzen, aufgrund ihrer Problematik abgewiesen werden. Dadurch fühlen sich die Betroffenen noch mehr abgelehnt und als hoffnungsloser Fall abgestempelt.[110] Diese Erfahrung kann ich aus dem Gespräch mit Betroffenen bestätigen.

Bezüglich der Beziehungen von jungen Frauen, die sich selbst verletzen, scheint es sehr wichtig zu sein, Verständnis für sie zu schaffen, was meiner Meinung nach über Öffentlichkeitsarbeit und Fortbildungen in verschiedenen Bereichen geschehen sollte. Außerdem ist auch Unterstützung für Betroffene (junge Frauen mit Selbstverletzendem Verhalten und ihre Angehörige) auf verschiedenen Ebenen nötig. Auf dieses Handlungsfeld werde ich in Kapitel fünf eingehen.

---

[108] Sachsse 1999a; Eckhardt 1994; u. a.

[109] Sachsse 1999b, S. 31; Eckhardt (1994, S. 82ff) geht ausführlich auf die Beziehung zwischen Arzt und Patientin ein, sie legt den Schwerpunkt auf die artifiziellen Erkrankungen, wobei deren Aspekte zum Teil auf die Selbstverletzung übertragbar sind.

[110] Levenkron 2001, S. 65f

# 3. Selbstverletzung und Weiblichkeit

„Psychische Erkrankungen junger Frauen treten in Wellen auf und sagen etwas über den Stand der Gesellschaft aus."[1] Doch welche gesellschaftlichen Faktoren fördern das Selbstverletzende Verhalten? Warum sind es hauptsächlich Frauen, die Erleichterung in der Verletzung des eigenen Körpers suchen? Und warum ist vor allem die Altersgruppe der 16-30 Jährigen davon betroffen?[2] Nachdem ich in Kapitel zwei auf die allgemeine Problematik, die persönlichen Hintergründe sowie die Funktion und Dynamik der Selbstverletzung eingegangen bin, werde ich nun den Zusammenhang zwischen Weiblichkeit und Selbstverletzendem Verhalten fokussieren und die Bewältigungsaufgaben in der Lebensphase, in der die Selbstverletzung hauptsächlich vorkommt, herausarbeiten.

## 3.1. Weibliche Sozialisation

Die Feststellung, dass Mädchen und Frauen in schwierigen Situationen eher nach innen, gegen sich reagieren, Jungen und Männer eher aggressiv nach außen, zieht sich durch die gesamte Literatur.[3] Geschlechtsspezifische Annahmen[4] über Eigenschaften von Frauen und Männern sind in den Überzeugungen vieler Menschen verankert. Die Entstehung dieser Tatsachen und Annahmen werde ich nun genauer betrachten. Aufgrund meines Themas steht dabei die Sozialisation der Frau im Mittelpunkt.

Unter Sozialisation verstehe ich die Formung des nur mit rudimentären Instinkten geborenen Menschen durch die allgemeinen sozialen, ökonomischen und kulturellen Verhältnisse der Gesellschaft. Ziel dieses Prozesses ist, ein in

---

[1] So kommentiert Sachsse die Selbstverletzung in dem Artikel „Erst Musik, dann das Messer". (Haegele 2001, S. 61)

[2] Zahlenvergleiche zur Verbreitung und Häufigkeit der Selbstverletzung, siehe Kapitel 2.1.1. Tabelle 1

[3] Kolip 1994, S. 40 und 45; Böhnisch 1999, S. 111 und S. 168; Bilden 1991, S. 286; Bundesministerium für Familie, Senioren, Frauen und Jugend 2001, S. 34; Klesse u.a. 1992, S. 119; u.a.

[4] Meine Ausführungen beziehen sich auf das soziale Geschlecht im Sinne von „gender". Zur Relevanz der Biologie bezüglich geschlechtsspezifischem Verhalten verweise ich auf Hagemann-White (1984, S. 29ff). Sie kommt durch den Vergleich verschiedener Studien zu dem Ergebnis, dass es „keine biologisch angelegte Verhaltenstendenz" (S. 41) gibt.

seiner Gesellschaft handlungsfähiges Subjekt zu werden (und zu bleiben). In einer sich verändernden Gesellschaft sowie durch neue Aufgaben in den Lebensabschnitten eines Menschen ist Sozialisation lebenslang notwendig.[5] Da in meiner Arbeit die Altersgruppe der 16-30 Jährigen im Mittelpunkt steht, werde ich die Beschreibung des Sozialisationsprozesses auf die bis zu einschließlich diesem Alter wichtigen Aspekte konzentrieren.

Bilden betont, dass soziales Handeln immer geschlechtsbezogen ist und Erwartungen an das Geschlecht zu einer sich selbst erfüllenden Prophezeiung werden können.[6]

Ich gehe von der sozialkonstruktivistischen Sichtweise aus, die die Wirklichkeit und damit die Geschlechtsmuster als kulturell-historisch entstanden auffasst, die aber durch unser soziales Handeln immer wieder reproduziert wird. Das bedeutet, dass die Frage nach spezifisch weiblicher Sozialisation wiederum zur Konstruktion eines typisch weiblichen Sozialcharakters führen kann.[7] Trotzdem halte ich den Blick auf die weibliche Sozialisation für das Thema der Selbstverletzung junger Frauen für notwendig, ich werde versuchen dabei keine Wertung vorzunehmen. Das umfangreiche Thema der Sozialisation werde ich auf die emotionale Sozialisation beschränken, da der geschlechtsspezifische Umgang mit und der Ausdruck von Gefühlen für das »weibliche Verhalten« der Selbstverletzung wichtig ist.

### 3.1.1. Emotionale Sozialisation der Frau

Wie schon beschrieben, prägen bestimmte Vorstellungen (Geschlechtsstereotype[8]) von Weiblichkeit und Männlichkeit unsere Gesellschaft. Bei diesen Annahmen gelten Frauen als emotional und ängstlich, sie würden sich eher traurig oder hilflos fühlen als Männer, die als rational gelten und allenfalls Probleme mit Aggressionen hätten. Diese Bilder sind in Eltern und anderen an der Sozialisation maßgeblich Beteiligten (oft unbewusst) verhaftet, dies führt zur Aufrechterhaltung dieser Vorstellungen, ein Kreislauf, in dem Verhaltenserwartungen wiederum Verhaltensmuster produzieren.[9] Hierbei könnte angenommen werden, dass sich die Verhaltensannahmen für

---

[5] Pressel 1997, S. 877ff

[6] Bilden 1991, S. 279

[7] Bilden 1991, S. 279f; Böhnisch 1999, S. 51f

[8] Geschlechtsstereotype: eingebürgerte Vorurteile mit festen Vorstellungsklischees gegenüber Männern und Frauen (Duden 1997, S. 772)

[9] Bilden 1991, S. 285

Weiblichkeit inzwischen verändert haben. In der bestehenden Literatur gibt es allerdings keine Hinweise darauf. Nach meiner Einschätzung handelt es sich um eine eher oberflächliche Veränderung bestehender Normen, die noch nicht allgemein verbreitet, sondern bildungsabhängig ist. Außerdem ist zu berücksichtigen, dass junge Frauen, die heute Selbstverletzendes Verhalten zeigen, in den 70er und frühen 80er Jahren aufgewachsen sind.

Verschiedene Studien haben ergeben, dass schon bei einem Säugling die Erwartungen, Verhaltensinterpretationen und Interaktionsformen bei der Annahme, er sei ein Junge oder ein Mädchen verschieden sind.[10] Auch wenn die Einstellung besteht Jungen und Mädchen gleich zu behandeln, stehen geschlechtsspezifische Bilder im Hintergrund. Grabrucker[11], die die ersten drei Lebensjahre ihrer Tochter in einem Tagebuch festhält, bemerkt solche Tendenzen, obwohl sie ihre Tochter bewusst nicht mädchenhaft erziehen wollte.

Hagemann-White stellt fest, dass vor allem Väter dazu neigen, auf die Anpassung an Geschlechtsstereotypen zu drängen.[12] Das Mädchen identifiziert sich eher mit der Mutter, es ordnet sich in das zweigeschlechtliche kulturelle System ein, dies ist die erste soziale Identität, die in der sozialen Welt erlebt wird.[13] Die dadurch entstehende enge Beziehung zur Mutter, die meistens immer noch die Haupterziehungsarbeit leistet, kann dazu führen, dass das Verhalten der Mutter durch das Lernen am Modell übernommen wird. Die Entwicklung zur Unabhängigkeit kann erschwert sein, da das Mädchen aus Angst vor Beziehungsverlust ihr Autonomiebestreben mit den damit verbundenen »negativen« Gefühlen (z.B. Ärger und Ablehnung) unterdrückt. Einerseits bedeutet die enge Beziehung Sicherheit und Zuwendung, andererseits kann sie dazu führen, dass die Tochter früh in die vernünftige, verständige Position einer Erwachsenen gedrängt wird.[14] Auf die daraus entstehende Bewältigungsaufgabe für junge Frauen werde ich in 3.2.3. eingehen.

Bei vielen Müttern bestehen aber auch bewusst andere Erziehungsziele für Mädchen und Jungen, dies zeigt Faulstich-Wieland[15] auf. Bei Mädchen steht

---

[10] Bilden 1991, S. 283
[11] Grabrucker 1987, S. 80
[12] Hagemann-White 1984, S. 59; siehe auch Bilden 1991, S. 282
[13] Hagemann-White 1984, S. 82f; Bilden 1991, S. 282
[14] Henschel 1993, S. 59 und S. 142f; Zu der daraus entstehenden Beziehungsorientierung, siehe auch Gilligan 1985.
[15] Faulstich-Wieland 1999, S. 56

Zärtlichkeit auf Rang eins der Erziehungsziele, bei Jungen Durchsetzungsvermögen und selbständiges Denken. Der Ausdruck von Gefühlen bei Mädchen wird differenziert und erweitert, Angst ist in Ordnung - unerwünschte Gefühle (z.B. Wut) und der Ausdruck von ihnen werden unterdrückt. Daraus kann gefolgert werden, dass sie anders ausgedrückt werden müssen. So zeigen nur Frauen Tränen, wenn sie wütend sind[16] oder diese Gefühle werden gegen sich gerichtet, in Form von Krankheiten mit selbstschädigendem Charakter (siehe 1.2.2.) oder Selbstverletzung. Übertragen auf Jungen könnte dies bedeuten, dass sie bei ihnen nicht erlaubte Gefühle (wie z.B. Angst) verdrängen und über Aggression ausdrücken. Das Mittel zwischen Mädchen und Jungen würde somit ein gesundes Maß an Aggression charakterisieren. Dies könnte auch die Aussage von Dagmar Preiß erklären, dass bei jungen Frauen mit Selbstverletzendem Verhalten aggressives und autoaggressives Verhalten oft gekoppelt vorkommt. Bei beiden Verhaltensweisen besteht kein konstruktiver Umgang mit Gefühlen, die Lösungswege sind Aggression oder Autoaggression.

Laut Henschel spielt die Familie als frühe Sozialisationsinstanz eine wichtige Rolle, da sie von Geburt an durch Erziehung auch auf die Geschlechtsrollenübernahme einwirkt.[17] Hagemann-White verweist jedoch darauf, dass die Ursachen für das geschlechtsspezifische Verhalten eher außerhalb der Familie zu suchen sind.[18] Nach meiner Einschätzung, die auf der Auseinandersetzung mit der Literatur zur Thematik der weiblichen Sozialisation beruht, handelt es sich um ein Zusammenspiel von Familie, die ja auch ein Teil der Gesellschaft ist, und öffentlichen Faktoren bzw. Institutionen wie Schule, Gleichaltrige, Medien, usw..

Die Erziehungsziele spiegeln sich auch im Spielverhalten der Kinder wider. Jungen müssen sich für rücksichtsloses Verhalten weniger verantworten als Mädchen, diese werden eher persönlich bewertet.[19] Schon im Kleinkindalter und der Kindergartenzeit sozialisieren sich Kinder untereinander stark hinsichtlich des geschlechtsspezifischen Verhaltens. Verhalten und Interessen verstärken sich durch die Bevorzugung gleichgeschlechtlicher Spielkameradinnen und sind schon mit fünf Jahren sehr ausgeprägt. Dies zieht sich durch den weiteren Lebensverlauf. Gruppen von Mädchen beruhen auf Gleichheit, haben daher eher

---

[16] Bilden 1991, S. 286
[17] Henschel 1993, S. 60
[18] Hagemann-White 1984, S. 63
[19] Grabbrucker 1987, S. 232ff

Probleme mit Konflikten und Dominanz. Sie sind auf Beziehung ausgerichtet. Daraus entwickelt sich ein kooperativer Interaktionsstil, auch in Bezug auf Erwachsene.[20]

Mädchen werden in ihrem Spiel- und Aktionsradius von ihren Eltern aus Angst vor sexuellen und körperlichen Übergriffen stärker eingeschränkt als Jungen. Ihre Eigenständigkeit wird dadurch behindert. Mädchen bleiben so oft traditionell im privaten Raum, die Problematik besteht darin, dass dieser Schutzraum in der Diskussion um sexuelle Gewalt in der Familie in Frage gestellt werden muss. Daraus kann sich aber auch die Tendenz von Mädchen und Frauen entwickeln ihre Lebensprobleme allein und isoliert zu bewältigen (z.B. durch Tabletten, Depressionen,...), im Gegensatz zu Jungen und Männern, die Probleme öffentlich ausleben und dadurch auch öffentlich sanktioniert werden.[21] Dies ist auch eine Erklärung für das Überwiegen von Jungen in den Hilfen zur Erziehung, welches mir in meinem ersten Praxissemester in einer teilstationären Gruppe für Kinder mit Verhaltensschwierigkeiten auffiel.[22]

In der Schule erhalten Mädchen von den Lehrer(inne)n oftmals weniger Aufmerksamkeit als Jungen, die mit ihrem Verhalten auf sich aufmerksam machen. Der Blick ist hier auch durch Annahmen von geschlechtsspezifischem Verhalten geprägt, das wiederum dadurch produziert wird - »Jungen stören eher, sind eben aggressiver und haben mehr Lernschwierigkeiten«. Die Jungen erfahren dadurch mehr Sanktionen, können aber auch Hilfe erhalten.[23]

Ein weiterer Einflussfaktor auf die Entwicklung von stereotypen Vorstellungen über Männer und Frauen sind die Medien. Schon ab dem dritten Lebensjahr beginnt systematisches Fernsehen, wo Geschlechtsstereotype vor allem in der Werbung auf Mädchen und Jungen einwirken. Im späteren Alter bieten Jugendmagazine zusätzlich noch „massenweise Anleitungen und Modelle" für weibliches Verhalten.[24]

---

[20] Bilden 1991, S. 287f
[21] Böhnisch 1999, S. 150; Henschel 1993, S. 143; Hagemann-White 1984, S. 59
[22] siehe Kriener und Hartwig 1997, S. 195ff. Sie machen auf die schlechte Lage für Mädchen in der Jugend- und Erziehungshilfe aufmerksam und zeigen wichtige notwendige Entwicklungen auf, damit Jugendarbeit nicht mehr nur Jungenarbeit ist.
[23] Böhnisch 1999, S. 121f; Hagemann-White 1984, S. 71f
[24] Bilden 1991, S. 289

Für die Thematik der Selbstverletzung lassen sich folgende Aspekte zusammenfassen:

• Die bestehenden Bilder von weiblichem Verhalten erschweren vielen Mädchen den konstruktiven Umgang mit Gefühlen, die laut Zuschreibung nicht weiblich sind.

• Mädchen nehmen sich zurück (z.T. durch die Dominanz der Jungen) und werden zurückgehalten (auch um sie zu schützen), ihr Verhalten ist nicht öffentlich.

• Beziehungen spielen bei Mädchen früh eine wichtige Rolle, sie fühlen sich dadurch eher auch für andere zuständig und nehmen ihre Gefühle zurück.

Dies fördert die internalen gegen sich gerichteten Bewältigungsmuster von Frauen.

### 3.1.2.  Ursprung geschlechtsspezifischer Verhaltenserwartungen

Wie schon aufgezeigt wurde, entstehen durch geschlechtsstereotype Verhaltenserwartungen wiederum Verhaltensmuster. Dabei entsteht die Frage, woher diese Verhaltenserwartungen an Mädchen und Frauen in unserer Gesellschaft kommen. Nach meiner Einschätzung ist dies historisch begründet. Die Unterordnung der Frau und ihre Begrenzung auf Haushalt und Kinder zieht sich durch die abendländische Geschichte. Eine Darstellung dieser Entwicklung wäre hier zu umfangreich. Jedoch halte ich es für wichtig, zu erwähnen, wie viel sich rückblickend schon in Richtung der Gleichstellung der Frau entwickelt hat. Allerdings werfen gesellschaftliche Entwicklungen auch Widersprüche und neue Probleme auf. Auf die gesellschaftliche Situation, die von Veränderungsprozessen geprägt ist und damit veränderte Bedingungen und Anforderungen herstellt, werde ich im folgenden Punkt eingehen.

### 3.2.  Gesellschaftliche Situation

Gesellschaftliche Faktoren sind zwar nicht unbedingt direkte Ursache der Selbstverletzung, sie üben aber wichtige indirekte Einflüsse auf die Menschen aus.[25] Im Folgenden werde ich die Modernisierung als Überbegriff einer großen Zahl von Veränderungsprozessen beschreiben. Dabei werde ich besonders auf den Aspekt der Individualisierung und seine Auswirkungen auf die Lebensalter

---

[25] Kreisman und Straus 1989, S. 98

eingehen. In diesem Rahmen werde ich die historischen Entwicklungen nicht berücksichtigen, da dies zu umfangreich wäre. Stattdessen werde ich den Schwerpunkt auf die durch die Individualisierung veränderten Bedingungen und dadurch entstehende Bewältigungsaufgaben für junge Frauen legen.

### 3.2.1. Individualisierung als wichtiger Aspekt der Modernisierung

Van der Loo und van Reijen[26] definieren Modernisierung als

> einen Komplex miteinander zusammenhängender struktureller, kultureller, psychischer und physischer Veränderungen, der sich in den vergangenen Jahrhunderten herauskristallisiert und damit die Welt, in der wir augenblicklich leben, geformt hat und noch immer in eine bestimmte Richtung lenkt.

Der Begriff der Modernisierung kann als Bündelung einer großen Zahl von gesellschaftlichen Veränderungsprozessen verstanden werden. Van der Loo und van Reijen konkretisieren diese und fassen sie in vier Dimensionen der Modernisierung:

* **Differenzierung** beschreibt die strukturelle Dimension der veränderten Handlungsmuster und Interaktionsformen. Darunter kann z.B. die Ausdifferenzierung des Teilbereichs Familie in verschiedene Lebensformen wie nichteheliche Lebensgemeinschaften, frei gewähltes alleine Leben oder living-apart-together verstanden werden.
* **Rationalisierung** beinhaltet die kulturelle Dimension. Es geht darum, die Wirklichkeit zu systematisieren und zu ordnen, um sie vorhersehbar und beherrschbar zu machen.
* **Domestizierung** bezieht sich auf die Beherrschung der physiologischen und biologischen Natur.
* **Individualisierung** umfasst die Perspektive der Persönlichkeit. Das Individuum gewinnt an Bedeutung.

Diese Dimensionen sind eng miteinander verbunden, sie bedingen sich gegenseitig. Für die Lebensbewältigung junger Frauen halte ich die Individualisierung als subjektorientierte Theorie, bei der es um die konkret Handelnden geht, die sich mit den veränderten Bedingungen auseinandersetzen, für besonders bedeutend. Deshalb werde ich auf diese nun genauer eingehen.

---

[26] van der Loo und van Reijen 1992, S. 11 und S. 29ff

Sozialwissenschaftlich kann als Individualisierung die Tatsache verstanden werden,

> dass Menschen sich in sozialer Hinsicht von traditionellen gesellschaftlichen Bindungen und Versorgungsarrangements befreien und sich auf kognitiver Ebene traditionellen Glaubensauffassungen und Sicherheiten immer weiter entziehen. Traditionelle Werte, Normen und Bedeutungen werden zunehmend relativiert. Die Welt wird immer mehr als ein Füllhorn voller unbegrenzter Möglichkeiten gesehen, aus denen die Menschen im Prinzip selbst auswählen können.[27]

Beck[28] spricht von einer dreifachen Individualisierung und begründet dies, indem er drei Dimensionen unterteilt:

- **Freisetzung** aus tradierten Lebensmustern, es gibt kein vorgelebtes Schema mehr. Es bestehen viele Wahlmöglichkeiten und mehr Freiraum für eigene Entscheidungen.
- **Entzauberung** - der Verlust von Sicherheiten, leitenden Normen und Handlungswissen.
- **Kontrolle/Reintegration** - es entsteht eine neue Art der sozialen Einbindung. Beziehungen werden institutionalisiert und Entscheidungen durch institutionelle Vorgaben getroffen.

Hieraus wird das Paradox der Individualisierung deutlich:

> Einerseits besteht eine moderne Gesellschaft aus selbstbewusst handelnden Individuen, die die Möglichkeit haben auf verschiedenste Weise Kontakte zu unterhalten sowie eine relativ große Selbständigkeit und Handlungsfreiheit besitzen. Daraus entwickeln sich Gefühle von Freiheit, Unabhängigkeit, Gestalterin des eigenen Lebens und Schicksals zu sein. Andererseits gibt es keinen Halt durch traditionelle Werte und Institutionen, wodurch die Wahrung der eigenen Identität erschwert wird. Durch abstrakte, anonyme und großdimensionale Verbände entstehen Gefühle von Machtlosigkeit. Freiheit und Macht stehen der Ohnmacht gegenüber.[29] Diese Aspekte haben ihren Einfluss auf die Lebensbewältigung, auf die ich in Kapitel vier eingehen werde.

---

[27] van der Loo und van Reijen 1992, S.162
[28] Beck 1986, S. 206
[29] van der Loo und van Reijen 1992, S. 38

## 3.2.2. Bedeutung der Individualisierung für die unterschiedlichen Lebensalter

Der Lebenslauf, der durch die Lebensalter strukturiert ist, verändert sich durch die Individualisierung. Die Lebensalter sind nicht nur Bezeichnungen für Altersgruppen wie Kindheit, Jugend und Erwachsenenalter, sondern beinhalten gesellschaftliche Vorstellungen und Erwartungen. Die Biografie betont das Subjekt, das im gesellschaftlichen Wandel, der Spannung zwischen gesellschaftlichen Bildern und dem eigenem Lebensgefühl handelt. Böhnisch[30] spricht im Zusammenhang mit der Individualisierung von einer Biografisierung der Lebensverhältnisse. Darunter versteht er, dass nicht mehr die Gesellschaft, sondern die eigene Biographie im Mittelpunkt des öffentlichen und privaten Interesses stehen.[31] Es entwickeln sich unterschiedliche Biografien[32], die Lebensalter verlieren an sozial prägsamer Bedeutung und es ist nicht mehr klar, ob man die Lebensalter noch nach den traditionellen Bereichen gliedern kann.

Ich werde nun die Bedeutung der Individualisierung für die Lebensalter Kindheit, Jugend und junges Erwachsenenalter als neu entstehendes Lebensalter darstellen. Auf die Familie als System werde ich nicht speziell eingehen, doch wird schon aus der Darstellung der verschiedenen Lebensalter deutlich, dass die Familie von den Entwicklungen besonders betroffen ist, da sie Personen in verschiedenen Lebensaltern mit den jeweiligen Anforderungen vereinigt.

**Kindheit**

Kinder müssen schon früh selbständig sein - mobil, flexibel und ausdauernd um ihre Bedürfnisse zu befriedigen. Der Vergesellschaftungsprozess, der bereits in Form des Kindergartens einsetzt, verstärkt sich durch den Schuleintritt. Die Kinder können nicht früh genug gefördert werden. Bildung, Konkurrenz und Aufstieg prägen das Denken vieler Eltern, die ihren Kindern andererseits auch gern mehr Raum geben würden um Kind zu sein.[33] Auch die Familie wird für Kinder zum Ort der Interessenaushandlung. Selbstverständliche Verhaltensmuster für Partnerschaft, Eltern oder Kinder verlieren an Verbindlichkeit. Trotz des Bedeutungsgewinns der Kindheit sind die Kinder den

---

[30] Böhnisch 1999, S. 11, S. 34ff und S. 64ff

[31] Dabei handelt es sich um einen wichtigen Aspekt des Lebensbewältigungskonzepts, auf das ich in Kapitel 4.2.2. eingehen werde.

[32] Beck (1986, S. 217) nennt sie „Bausätze biografischer Kombinationsmöglichkeiten".

[33] Böhnisch 1999, S. 114ff

„emotionalen Wechselbädern von Distanz und Nähe zu den Eltern" ausgesetzt.[34] Die öffentliche und interne Erwartungshaltung an die Familie ist hoch. In diesem Zusammenhang beschreibt Böhnisch familiale Gewalt als „Bewältigungsfalle", um dem harmonischen Bild von Familie wenigstens nach außen gerecht zu werden.[35]

## Jugend

Verhaltensweisen, die früher in der Jugendphase, im Alter von 14-17 Jahren typisch waren, werden heute schon ab 9 Jahren festgestellt.[36] Hagemann-White[37] kritisiert dabei die Tendenz bei der körperlichen und psychischen Entwicklung von Mädchen und Jungen nicht zu differenzieren. Sie betont, dass bei Mädchen die Pubertät im biologischen Sinn der körperlich sexuellen Entwicklung früher einsetzt. In den USA ist das Durchschnittsalter der ersten Menstruation auf 12,3 Jahre gesunken, dies bedeutet, dass sie bei manchen Mädchen noch in der klassischen Kindheit eintritt. Die Adoleszenz jedoch als psychischer und sozialer Entwicklungsprozess verlängert sich ins junge Erwachsenenalter. Es kann von einem Zerfall oder sogar Nacheinander von körperlicher und psychischer bzw. sozialer Entwicklung ausgegangen werden.[38] Hier wird deutlich, wie traditionelle Einteilungen verschwimmen, sie werden relativiert. Auch Böhnisch[39] stellt die Frage, ob neue Differenzierungen notwendig sind, vor allem bezüglich der Verselbständigung der Übergangsform der jungen Erwachsenen. Für meine Arbeit halte ich eine solche Differenzierung für wichtig, da die Altersgruppe der sich selbst verletzenden jungen Frauen von 16-30 Jahren die Entwicklung eines neuen Lebensalters bestätigt. Dieses Alter definiere ich als junges Erwachsenenalter, das ich im folgenden Punkt konkretisieren werde.

## Junges Erwachsenenalter

So wie die Jugend schwer vom Übergang ins Erwachsenenalter abzugrenzen ist (da auch der Erwachsenenstatus nicht mehr klar ist), so ist auch der Erwachsenenbereich schwer von der Jugend zu trennen. Der Übergangsbereich der jungen Erwachsenen im Alter von 18-25 Jahren taucht verstärkt in der

---

[34] Böhnisch 1999, S. 105f
[35] Böhnisch 1999, S. 11, S. 34ff und S. 64ff
[36] Böhnisch 1999, S. 123
[37] Hagemann-White 1992, S. 65ff
[38] Flaake und King 1992, S. 8ff
[39] Böhnisch 1999, S. 67

Jugendsozialarbeit, offenen Jugendarbeit und Jugendberatung auf. Auch das KJHG (Kinder- und Jugendhilfegesetz) hat diese Tatsache berücksichtigt, indem es einen Teil seiner Leistungen auf die Altersgruppen der 18-27 Jährigen ausgedehnt hat. Böhnisch bezeichnet die Altersgruppe der jungen Erwachsenen als Zwischenexistenz, die durch die Verlängerung der Bildungs- und Ausbildungsphase und der damit noch nicht erlangten Selbständigkeit im ökonomischen und familialen Sinne entsteht. Verbunden mit den beschriebenen gesellschaftlichen Veränderungen im Zuge der Individualisierung gibt es für die jungen Erwachsenen kaum gesellschaftlich anerkannte Lebensmuster, an denen sie sich orientieren und auf die sie zurückgreifen können. Sie wollen keine Jugendlichen mehr sein, fühlen sich aber zur Erwachsenenwelt mit ihren festen Rollen und ihrer Gebundenheit an Institutionen nicht zugehörig.[40] Dies stellt auch Arnett fest, der aus seinen Studien zum Selbstbild dieser Altersgruppe das Fazit zieht, dass Menschen frühestens ab 30 Jahren als „junge Erwachsene" bezeichnet werden sollten, die Phase zuvor sieht er als eigenständige Entwicklungsphase, die er „auftauchendes Erwachsenenalter" nennt.[41]

Die jugendlichen Lebensmuster wollen von vielen behalten werden, doch gleichzeitig ist die Demonstration von materieller und sozialer Eigenständigkeit (durch eigene Versorgung, Aufbau eigener sozialer Netze und eine eigene Wohnung) wichtig. Das Erwachsenenalter als Lebensphase, die früher „automatisch" auf Kindheit und Jugend folgte, ist plötzlich nicht mehr selbstverständlich. Einen linearen Ablauf mit der Gewissheit „richtig" zu leben gibt es nicht mehr.[42] Im nächsten Abschnitt werde ich die Anforderungen und Konflikte, die für junge Frauen in diesem Lebensalter entstehen, aufzeigen.

### 3.2.3. Durch die Individualisierung entstehende Bewältigungsaufgaben junger Frauen

Dagmar Preiß schildert als einen Grund, wieso verstärkt junge Frauen von Selbstverletzung betroffen sind, die vielen verschiedenen gesellschaftlichen Anforderungen, die hoch und widersprüchlich sind. Stauber[43] beschreibt die neuen Mädchenbilder als „Puzzlestück" im Großpuzzle der Modernisierung, einen Katalog an Anforderungen an Mädchen und junge Frauen.

---

[40] Böhnisch 1999, S. 123ff und S. 190ff
[41] Arnett 2000, zitiert nach Nuber 2001, S. 26
[42] Nuber 2001, S. 22; Böhnisch 1999, S. 191
[43] Stauber 1999, S. 53f

Im Folgenden werde ich die Bewältigungsaufgaben für junge Frauen zwischen 16 und 30 Jahren, die sich oft in Form von Widersprüchlichkeiten darstellen, aufzeigen. Dabei werde ich aus bereits genannten Gründen nicht auf die klassische Einteilung von Pubertät und Adoleszenz zurückgreifen, die schon vielfach ausführlich beschrieben wurden, sondern die Anforderungen und Konflikte, die für Frauen im jungen Erwachsenenalter entstehen, herausarbeiten. Es tauchen allerdings auch Aspekte auf, die ansonsten in die Pubertät oder Adoleszenz eingeordnet wurden. Daraus wird deutlich, dass von einer Verschiebung und Vermischung von Bewältigungsaufgaben der Lebensalter und nicht von einer klaren Trennung gesprochen werden kann.

Die Frage »Wie soll ich sein?«, die nach meiner Einschätzung in der Entwicklung normal ist, die aber in einer Gesellschaft, in der es für junge Frauen keine klaren Orientierungsmuster mehr gibt, an Brisanz gewinnt, wird durch die neuen Bilder von Mädchen und jungen Frauen beantwortet. Diese beschreiben eine selbstbewusste junge Frau, die ihre Meinung sagt, sich nicht in Pläne reinreden lässt, klar über sich und die Welt Bescheid weiß, viel Spaß hat, gut aussieht und Körperbewusstsein hat - sie kennt Trends, ist aber trotzdem etwas Besonderes und geht ihren Weg.[44] Auch Dagmar Preiß betont, dass diesem Idealbild niemand genügen kann.[45]

Zusätzlich zu diesen hohen Anforderungen werden Konflikte deutlich, denen die jungen Frauen ausgesetzt sind. Sie sollen und dürfen hübsch und erotisch sein, müssen aber gleichzeitig Angst um ihre Sicherheit, z.B. beim Heimweg von der Disco haben. In zwischengeschlechtlichen Beziehungen sollen sie cool sein, informiert und kontrolliert bezüglich Sexualität und Verhütung - gleichzeitig aber den noch existierenden Vorstellungen von Weiblichkeit (Gefühle zeigen, nett sein usw.) entsprechen. Die neuen Bilder von Selbständigkeit und Eigenwilligkeit verbunden mit dem Motto „Spaß haben" führen dazu, dass die Konflikte und was Mädchen real beschäftigt tabuisiert werden, sie sind mit ihren Themen von Berufswahl und vergeblicher Lehrstellensuche, Liebeskummer, sexuellen Übergriffen und schwierigen familiären Bedingungen alleine.[46]

---

[44] Stauber 1999, S. 54
[45] Auf den Konflikt der Individualisierung, der mit der Standardisierung des Körpers verbunden ist, werde ich in Kapitel 3.3. eingehen.
[46] Stauber 1999, S. 56ff

Umso zerbrechlicher die Herkunftsfamilien der jungen Frauen im Zuge der Individualisierung werden, desto mehr werden sie als Töchter nicht nur für »klassische« Bereiche der Mithilfe im Haushalt und Betreuung der Geschwister herangezogen, sondern sie übernehmen auch die Funktion einer kommunikativen und psychischen Stütze für die geschiedene oder getrennt lebende Mutter (oder Vater). Das Verhältnis der Angewiesenheit wird dadurch umgedreht, eine neue Einbindung wird geschaffen und die Ablösungsthematik dadurch kompliziert. Der gleiche Effekt entsteht durch die Tendenz, das Generationenverhältnis in Form einer „Freundinnenbeziehung" zwischen Mutter und Tochter aufzulösen sowie der Schwierigkeit, sich von einer jugendlichen Elterngeneration abzugrenzen, die sich im Umgang, der Kommunikation und dem Outfit vollkommen von ihren Eltern und den dadurch entstandenen Abgrenzungsmöglichkeiten unterscheidet. Die Ablösung von den Eltern ist für junge Frauen auch insofern ein schwieriges Thema, da es nicht um Trennung geht, sondern darum, eine neue, andere Form der Beziehung einzugehen.[47] Die Beziehungen in der Familie haben auch besondere Bedeutung, da außerfamiliäre Beziehungen an Verbindlichkeit verloren haben.

Der Übergang von der Schule in den Beruf ist eine weitere Aufgabe, die junge Frauen in diesem Alter bewältigen müssen. Die geschlechtsspezifische Arbeitsteilung hat sich einseitig bei der Frau verändert, es gibt keine weibliche Normalbiografie mehr, die Wahlmöglichkeiten haben zugenommen - ob weiterführende Schule, schulische oder betriebliche Ausbildung oder Studium. Eine solche Erweiterung des Handlungsspielraums bringt auch Unsicherheiten mit sich und den Zwang, Entscheidungen zu treffen. Diese Entscheidungen müssen junge Frauen treffen, da ein gesellschaftlicher „Zwang zur Zukunft" besteht. Die Existenzsicherung ist nach der Herauslösung aus den früheren Formen gemeinschaftlicher Lebensführung Aufgabe der Einzelnen, dabei werden die jungen Frauen mit den Konflikten von nebeneinander bestehenden neuen und tradierten Vorstellungen konfrontiert.[48] So besteht immer noch eine Kluft zwischen den beruflichen Interessen und Chancen junger Frauen.[49] Der Beruf soll bei Gleichaltrigen vertretbar und sozial akzeptiert sein - außerdem

---

[47] Stauber 1999, S. 56ff; Hagemann-White 1992, S. 76f
[48] Beck-Gernsheim 1998, S. 58ff
[49] Bilden 1991, S. 297

soll er ein soziales Setting versprechen, indem sich die junge Frau frei (als Frau) und sexuell unbelästigt fühlen kann.[50]

Bei der Wahl des Berufes ist auch der Blick in die Zukunft in Form der Anforderungen, die die Frauen im weiteren Leben erwarten, wichtig. Denn im „Leben als Planungsobjekt"[51] muss entschieden werden, in welcher Lebensform, ob, wann und wie viele Kinder eine Frau möchte. Dabei ist auch die Vereinbarkeit mit dem Beruf relevant, denn Frauen wollen heute mehrheitlich Beruf und Familie vereinigen. Daraus entwickelt sich ein Rollenkonflikt zwischen dem Typ der »Karriere-Orientierung« und den hohen Ansprüchen an eine „gute Mutter", bei der die Normen - außer in der Kleinkindphase - Erwerbsarbeit erlauben und den alleinigen Hausfrauenstatus als defizitär beschreiben.[52]

In einer Gesellschaft, in der für junge Frauen scheinbar alles möglich ist und es nur noch erworbene Rollen gibt, ist jede, die Probleme hat, die scheitert, persönlich dafür verantwortlich, selbst daran Schuld. Ein Umgang damit kann, wie ich in den Bewältigungsmodellen in Kapitel 4.2. darstellen werde, die Selbstverletzung sein.

Die Darstellung der Bewältigungsaufgaben junger Frauen bezüglich der von ihnen erwarteten Eigenschaften, der Ablösung von der Herkunftsfamilie, Berufsfindung, Partnerschaft und ihrer zukünftigen Rolle in der eigenen Familie macht deutlich, dass diese hohe Anforderungen stellen und umfassende Aushandlungskompetenzen verlangen.

Diese Bewältigungsaufgaben erleben junge Frauen mit Selbstverletzendem Verhalten als Bedrohung ihrer Existenz, was Kaplan durch die Kindheitserfahrungen der Betroffenen (siehe 2.2.1.) erklärt.[53]

Momentan sind Frauen mit Selbstverletzendem Verhalten im Alter über 30 Jahren selten, dies wird dadurch begründet, dass sich die Lebensumstände dann stabilisiert haben.[54] Hier stellt sich die Frage, ob durch die brüchiger werdenden Lebensverläufe (mit immer neuen Übergängen, die eine Veränderung des

---

[50] Stauber 1999, S. 59; siehe auch Hagemann-White 1992, S. 72ff. Dort führt sie verschiedene Untersuchungen zur Berufswahl junger Frauen auf und stellt fest: „Das Feld für mögliche Berufsfindung ist in den Köpfen der Mädchen in der siebten Klasse schon eingezäunt."
[51] Beck-Gernsheim 1998, S. 58
[52] Bilden 1991, S. 297
[53] Kaplan 1991, S. 393
[54] Haegele 2001, S. 62

Selbstkonzepts und des „Rollenbündels" mit sich bringen ),[55] Selbstverletzung in Zukunft auch im späteren Alter gehäuft vorkommen wird. Diese Frage kann heute noch nicht beantwortet werden.

## 3.3. Der weibliche Körper

Der Körper der Frau ist bei der Selbstverletzung ein zentraler Ort. Da sind die Erfahrungshintergründe von Bedrohung und Verletzung des Körpers (und auch der Persönlichkeit), die viele Betroffene in der Kindheit erlebt haben. Und da ist ein gesellschaftliches Klima, das den Körper zur „individuellen Selbstdarstellung"[56] nutzt, was schon in meiner Beschreibung der »alltäglichen« Formen der Selbstschädigung in Kapitel eins deutlich wurde. Nachdem ich bei den Funktionen der Selbstverletzung in Kapitel 2.3. die Bewältigung und den Ausdruck von Gefühlen in Form der Selbstverletzung des Körpers beschrieben habe, werde ich nun auf weitere wichtige Bedeutungen des Körpers beim Selbstverletzenden Verhalten eingehen.

Selbstverletzung kommt häufig gemeinsam mit Essstörungen vor. Die Abgrenzung zur Selbstverletzung habe ich bereits bei den Krankheiten mit selbstschädigendem Charakter (siehe 1.2.2.) vorgenommen, ein Vergleich bezüglich des öffentlichen Bekanntheitsgrades wurde bei Selbstverletzung und Beziehungen (siehe 2.3.3.) gemacht. Dieses Verhältnis werde ich nun an dieser Stelle ausführlicher thematisieren, da Frauen bei der Selbstverletzung und bei Essstörungen die Hauptbetroffen sind und der weibliche Körper bei beiden Störungen eine wichtige Rolle spielt. Anschließend werde ich diese weibliche Tendenz, den eigenen Körper als »Schauplatz« für Probleme zu benützen, untersuchen.

### 3.3.1. Die Bedeutung des Körpers beim Selbstverletzenden Verhalten

*„Es geht mir schlecht, doch der Hülle sieht man nichts an, die ist so perfekt - durch die Schnitte wird es sichtbar, wenigstens für mich - denn es darf ja niemand sehen, obwohl ich es mir manchmal wünsche."*

*Betroffenenbericht*

Wie ich bereits erwähnt habe, kommt es in Folge traumatischer Erfahrungen häufig vor, dass junge Frauen ihren Körper von sich selbst abspalten (siehe

---

[55] Bilden 1991, S. 298
[56] Rittner 1994, S. 196

Kapitel zwei). Durch die Erfahrung von Grenzverletzungen kommt es zur Störung des Körpererlebens. Das Körperbild ist laut Sachsse[57] bei allen, die sich selbst verletzen, stark gestört. Auch Plaßmann betont die „schwere Störung in der Beziehung zum Körper".[58] Dies äußert sich dadurch, dass der Körper von den meisten jungen Frauen mit Selbstverletzendem Verhalten negativ bewertet, abgelehnt und gehasst wird. Bei manchen ist auch dieser Bezug zum Körper abgespalten. Der Körper, der eigentlich pflege- und schutzbedürftig ist, soll nur funktionieren. Teuber[59] bezeichnet Selbstverletzendes Verhalten als extremste Form des lieblosen Umgangs mit dem eigenen Körper. Die Folgen der Selbstverletzung in Form von bleibenden Narben kann später den selbstfürsorglichen und liebevollen Umgang mit dem eigenen Körper noch erschweren.[60]

Nicht nur die Verletzung als akuter Schmerz und offene Wunde, sondern auch die entstehenden Narben sind für die Betroffene von Bedeutung. Das Bild des makellosen, schönen und perfekten weiblichen Körpers wird getrübt. Als Symbol der Verwundbarkeit zeigen Narben, dass eine junge Frau körperlich oder seelisch verletzt wurde. Oft löst das Verheilen einer Wunde Panik aus und ist mit dem Gedanken verbunden, sich neue Verletzungen zuzufügen. Entstehen Narben, sind diese Dokumente, sichtbare Zeichen, die an schwierige Lebensphasen erinnern und auch manchmal noch körperlich schmerzhaft sind. Sie fordern auf nachzufragen, denn jede Narbe erzählt eine Geschichte - hier stellt sich für mich die Frage, ob dies jemand tut, oder ob, wenn eine Ahnung über die Entstehung vorhanden ist, nicht lieber peinlich geschwiegen wird.[61]

Ein weiteres Zeichen für die Probleme mit dem eigenen, weiblichen Körper ist, dass die Selbstverletzung, laut verschiedenen Expertinnen, oft kurz nach dem Einsetzen der Menstruation beginnt.[62] Dabei entsteht ein Widerspruch zu den statistischen Altersangaben der von Selbstverletzung betroffenen jungen Frauen. Anhand der momentanen Datenlage kann dieser Widerspruch nicht geklärt werden. Ich greife diese Tatsache insofern auf, dass ich den Blick auf

[57] Sachsse 1999a, S. 37
[58] Plaßmann 1989, S. 119
[59] Teuber 1999, S. 79ff
[60] Eckhardt 1994, S. 151; Sachsse 1999a, S. 26; Sachsse 1989, S. 100
[61] Teuber 1999, S. 85ff; Zur psychodynamischen Bedeutung der Haut als größtes Organ - Grenze, Hülle und Kontaktorgan, siehe Anzieu 1991.
[62] Eckhardt 1994, S. 137; Kaplan 1991, S. 398; Auch im Interview mit Dagmar Preiß wurde diese Aussage bestätigt.

das »Frau sein« bezüglich der Entwicklung des weiblichen Körpers wende, dies hält Dagmar Preiß in diesem Zusammenhang für sehr wichtig.

Frauen die schon früh erleben mussten, dass andere die Macht über ihren Körper haben, fühlen sich durch die Veränderung ihres Körpers bezüglich der Entwicklung von Geschlechtsmerkmalen und dem Einsetzen der Menstruation ausgeliefert. Eckhardt betont im Zusammenhang mit dem „Gefühl der Hilflosigkeit dem eigenen Körper gegenüber" die Häufigkeit von sexuellem Missbrauch bei jungen Frauen mit Selbstverletzendem Verhalten, bei denen die damaligen Gefühle durch die Veränderung des Körpers wieder auftauchen. Durch die Selbstverletzung versuchen sie wieder Kontrolle über ihren Körper zu bekommen. Wenn sie sich schneiden, entscheiden sie, „wann und wie stark ihr Körper bluten soll".[63] Im Erleben der jungen Frauen ist das Blut dann, im Gegensatz zur Menstruation, bei der es als schmutzig und ekelhaft empfunden wird, ein Zeichen von Lebendigkeit und Wärme, es wirkt beruhigend und angenehm auf sie.[64]

### 3.3.2. Die Bedeutung des Körpers bei Essstörungen - Parallelen zur Selbstverletzung

Essstörungen und Selbstverletzung können sich gegenseitig abwechseln.[65] Frau Abel thematisiert dies im Interview:

*„Es war ein Kreislauf, wenn es mit dem Essen besser geklappt hat, ist das [Selbstverletzende Verhalten] wieder verstärkt gekommen."*

Viele der jungen Frauen mit Selbstverletzendem Verhalten haben, hatten oder entwickeln im Verlauf der Selbstverletzung eine Essstörung. Gleichzeitig werden junge Frauen mit Essstörungen als „eine der bedeutendsten Risikogruppen" für Selbstverletzendes Verhalten bezeichnet.[66] Dagmar Preiß berichtet aus ihrer Arbeit von einem breiten Überschneidungsbereich von Essstörungen und Selbstverletzendem Verhalten, bei dem die Zahl der jungen Frauen, bei denen die Selbstverletzung Beratungsanlass ist, gering, aber zunehmend ist. Die Zahlen zum Überschneidungsbereichs von Essstörungen (in

---

[63] Teuber 1999, S. 99
[64] Eckhardt 1994, S. 140f
[65] Eckhardt 1996, S. 216; Sachsse 1999a, S. 37 und S. 57
[66] Hänsli 1996, S. 97

Form von Bulimie und Magersucht) und Selbstverletzung schwanken zwischen 25 % und 75 %.[67]

Bei Bulimikerinnen wird die Selbstverletzungsrate höher eingeschätzt als bei Magersüchtigen.[68] Diese beiden Essstörungen werde ich nun charakterisieren, um anschließend wichtige Aspekte, die sich mit dem Selbstverletzenden Verhalten überschneiden, herauszuarbeiten. Da es zum Thema Essstörungen inzwischen umfangreiche Literatur gibt, gehe ich nur auf die für den Zusammenhang zur Selbstverletzung junger Frauen entscheidenden Faktoren ein. Die Esssucht als weitere Form der Essstörung werde ich nicht näher beschreiben, da sie für die Selbstverletzung junger Frauen nicht so bedeutend erscheint (das gemeinsame Vorkommen von Selbstverletzung und Esssucht ist seltener, das Geschlechterverhältnis weist nicht so große Unterschiede auf und die Häufigkeit ist zwischen dem 30. und 40. Lebensjahr am höchsten[69]).

Im DSM IV[70] werden folgende Kriterien zur Diagnose einer Magersucht[71] beschrieben: Die Weigerung, das für Alter und Körpergröße Minimum an Körpergewicht zu halten, z.B. ein dauerhaftes Gewicht weniger als 85 % des Normalgewichts, durch Gewichtsabnahme oder das Vermeiden einer Gewichtszunahme in der Wachstumsperiode. Trotz des Untergewichts besteht große Angst vor einer Gewichtszunahme oder davor, dick zu werden. Die eigene Figur und das Körpergewicht wird verzerrt wahrgenommen, sie haben enormen Einfluss auf die Selbstbewertung oder der Schweregrad des geringen Körpergewichts wird geleugnet. Bei Frauen nach der ersten Menstruation kommt es zu ihrem Ausbleiben in mindestens drei aufeinanderfolgenden Zyklen. Es wird zwischen dem „Binge-Eating/Purging"-Typus der Magersucht, bei dem regelmäßige „Fressanfälle" oder „Purging"-Verhalten (selbstinduziertes Erbrechen, Missbrauch von Abführmitteln, harntreibenden Mitteln oder Darmspülungen) vorkommen und dem restriktiven Typus, bei dem diese Verhaltensweisen nicht gezeigt werden, unterschieden.

---

[67] Sachsse 1999a, S. 37; Herpertz und Saß 1994, S. 298 und S. 300; Hänsli 1996, S. 97; siehe auch Favazza und Conterio 1989, S. 287
[68] Hänsli 1996, S. 97; Eckhardt 1994, S. 216
[69] Stahr/Barb-Priebe/Schulz 1995, S. 35
[70] DSM IV 1998, S. 613ff
[71] Ich verwende nicht den verbreiteten Begriff der »Anorexia nervosa«, da Anorexie auf deutsch Appetitlosigkeit bedeutet. Eine Magersüchtige hat durchaus Appetit, diesen kann sie aber anderen gegenüber nicht zugeben und sich selbst (bzw. seine Befriedigung in Form von Essen) nicht zugestehen. (Schwarzer 1992, S. 241)

Zur Diagnose einer Bulimie[72] werden im DSM IV[73] folgende Kriterien beschrieben: Es treten wiederholt „Fressattacken" auf, bei denen innerhalb eines Zeitraums eine Nahrungsmenge gegessen wird, die sehr viel größer ist, als das, was die meisten Menschen in diesem Zeitraum essen würden. Dabei besteht das Gefühl die Kontrolle über das Essverhalten zu verlieren. Um eine Gewichtszunahme zu vermeiden, werden wiederholt gegensteuernde Maßnahmen wie z.b. selbstinduziertes Erbrechen, Missbrauch von Abführmitteln, harntreibenden Mitteln, Darmspülungen oder anderen Arzneimitteln, Fasten oder übermäßige körperliche Betätigung durchgeführt. Die Figur und das Gewicht haben übermäßigen Einfluss auf die Selbstbewertung. Die Bulimie kann auch im Verlauf einer Magersucht auftreten. Bei der Bulimie wird zwischen dem „Purging"-Typus, der regelmäßig erbricht, Abführmittel oder harntreibende Mittel missbraucht oder Darmspülungen durchführt, und dem „Nicht-Purging"-Typus, der diese Verhaltensweisen nicht zeigt, aber einer Gewichtszunahme durch z.B. Fasten oder übermäßige körperliche Betätigung entgegenwirkt, unterschieden.

Die Zahlenangaben zur Verbreitung der Magersucht bei jungen Frauen liegen zwischen 0,2 und 2 %. Obwohl es sich bei der Bulimie um eine noch „junge" psychosomatische[74] Krankheit handelt, ist sie mit 2-4 % bei jungen Frauen zwischen 18 und 35 Jahren verbreiteter als die Magersucht.[75] Magersucht tritt am häufigsten im Alter zwischen 13 und 25 Jahren auf, bei der Bulimie liegt dieser Schwerpunkt später, im Alter zwischen 18 und 28 Jahren.[76] Von beiden Erkrankungen sind zu 90-95 % Frauen betroffen, sie haben beide in den letzten Jahrzehnten zugenommen und an öffentlicher Bedeutung gewonnen.[77]

Wie schon beim Alter und Geschlecht von Menschen mit Magersucht oder Bulimie deutlich wird, bestehen Parallelen zwischen Essstörungen und der

---

[72] Bulimie bedeutet auf deutsch „Stierhunger". Allerdings ist meistens nicht der Hunger, sondern Gefühle von Leere, Traurigkeit usw. Auslöser von „Fressanfällen". Ich benutze diesen Begriff trotzdem, da der Begriff der „Ess-Brech-Sucht" andere, außer dem Erbrechen angewandte unangemessene Maßnahmen zur Gewichtsregulation vernachlässigt. (Stahr/Barb-Priebe/Schulz 1995, S. 25)

[73] DSM IV 1998, S. 620ff

[74] psychosomatisch: durch körperlich-seelische Wechselwirkung bedingt (Tewes und Wildgrube 1999, S. 299)

[75] Stahr/Barb-Priebe/Schulz 1995, S. 33; Cuntz und Hillert 2000, S. 77

[76] Gerlinghoff/Backmund/Mai 1999, S. 21; Cuntz und Hillert 2000, S. 77

[77] Cuntz und Hillert 2000, S. 54; Stahr/Barb-Priebe/Schulz 1995, S. 31ff; Gerlinghoff/Backmund/Mai 1999, S. 21

Selbstverletzung. Diese werde ich nun aufzeigen und dabei die Überschneidungen zu den für die Selbstverletzung bereits beschriebenen Aspekten darstellen. Dabei werde ich nur in Einzelfällen zwischen Magersucht und Bulimie differenzieren.

Die schon beschriebenen Verhaltensweisen führen im Verlauf der Essstörungen zur **Schädigung des Körpers**. Die Literatur verweist auf vielfältige körperliche Folgen der Essstörungen.[78] Wie bei der Selbstverletzung wird im Ausdruck über den Körper der innere Zwiespalt als kommunikativer Aspekt (siehe 2.3.2.4.) deutlich. Vor allem bei der Magersucht wird die Krankheit geleugnet, obwohl diese eindeutig sichtbar wird, sie hat Signalfunktion, wie auch die Selbstverletzung, wenn sie in Form von Verletzungen sichtbar wird. Die Bulimie, die vom äußeren Erscheinungsbild her nicht auffällt, und die Selbstverletzung finden heimlich statt und sind mit Schuld- und Schamgefühlen verbunden. Mit dem Symptom zeigt die Betroffene jedoch mindestens sich selbst, dass etwas nicht in Ordnung ist.[79] Wie bei sehr starken Verletzungen beim Selbstverletzenden Verhalten können auch Essstörungen durch die körperliche Auszehrung zum Tod führen.[80]

Der **Bezug zum eigenen Körper ist gestört**, es besteht ein negatives Körperbild (siehe 3.3.1.). Junge Frauen mit Essstörungen und auch diejenigen mit Selbstverletzendem Verhalten lehnen ihren Körper sowie besonders die damit verbundene Weiblichkeit und Sexualität ab. Bei der Magersucht wird durch die Gewichtsabnahme die Ausbildung weiblicher Körperformen verhindert oder rückgängig gemacht. Die Menstruation, die wie auch bei der Selbstverletzung abgelehnt wird, bleibt bei der Magersucht aus und wird bei der Bulimie oft unregelmäßig.[81]

Zentral ist die **Kontrolle über den eigenen Körper** zu haben (siehe 3.3.1.), ihn zu beherrschen in Form der minutiösen Nahrungs-, Kalorien- und Gewichtskontrolle oder der Kontrolle, Nahrung im Körper zu behalten oder nicht. Hier kann wie bei der Selbstverletzung auch ein Gefühl von Stolz (siehe 2.3.1.) in Bezug auf die Macht über den eigenen Körper bedeutend sein. Denn aus meiner Sicht ist in einer Gesellschaft, in der Gewicht und Diät ständig

---

[78] siehe Cuntz und Hillert 2000, S. 63 und S. 78ff; Gerlinghoff/Backmund/Mai 1999, S. 159ff; Stahr/Barb-Priebe/Schulz 1995, S. 37ff
[79] Hänsli 1996, S. 102; Stahr/Barb-Priebe/Schulz 1995, S. 36ff
[80] Schwarzer 1992, S. 241
[81] Hänsli 1996, S. 104f

Thema sind und Schlanksein ein Ideal darstellt, das zu beherrschen, was die anderen alle wollen, eine »positive« Fähigkeit, auf die nur sehr schwer verzichtet werden kann. Allerdings handelt es sich bei dem Ausmaß einer Essstörung und bei der Selbstverletzung um „deviante" (von der sozialen Norm abweichende) Selbsthilfeversuche.[82]

Essstörungen werden wie die Selbstverletzung nicht nur zur Kontrolle des Körpers, sondern auch zur Kontrolle und Bewältigung von Gefühlen eingesetzt. Dabei kommt der Diskussion um den **Erfahrungshintergrund des sexuellen Missbrauchs** (siehe 2.2.1.2.) besondere Bedeutung zu, da dieser bei Frauen mit Essstörungen und bei Frauen mit Selbstverletzendem Verhalten besonders häufig scheint.[83] Rhode-Dachser[84] vermutet, dass das Überwiegen von Frauen bei der Selbstverletzung durch die größere Häufigkeit des sexuellen Missbrauchs an Mädchen entsteht. Diese Hypothese könnte somit auch auf Essstörungen übertragen werden. Zum Verständnis der Selbstschädigung in Form von Essstörungen und Selbstverletzungen halte ich diesen Aspekt, bei dem noch Forschungsbedarf besteht, für wichtig. Daraus entstehende monokausale Erklärungsansätze sind jedoch für beide Störungen nicht ausreichend.

Die Frage, ob Selbstverletzung als Sucht verstanden werden kann, habe ich in Kapitel 2.3.2.2. thematisiert. Auch für Essstörungen besteht eine Diskussion, inwiefern **Essstörungen als Sucht** bezeichnet werden können. Als (vorläufiges) Ergebnis lässt sich festhalten, dass Essstörungen Elemente von süchtigem Verhalten haben. Um dies für beide - Selbstverletzung und Essstörungen - zu klären, wären weitere Untersuchungen nötig.[85]

Gleichzeitig zur Diskussion, ob Essstörungen in den Suchtbereich einzuordnen sind, besteht (wie auch bei der Selbstverletzung) eine Diskussion um die **Nähe zum Borderline-Syndrom** (siehe 1.2.1). Kreisman und Straus[86] betonen, dass in einigen Studien bei 50 % der Patienten mit Essstörungen eine Borderline-Persönlichkeitsstörung festgestellt wurde. Diese Tendenz lässt sich besonders durch die Diagnosekriterien der instabilen Selbstwahrnehmung und

---

[82] Hänsli 1996, S. 106

[83] Bange und Deegener 1996, S. 176f; Stahr/Barb-Priebe/Schulz 1995, S. 72. Bei beiden waren ein Drittel bis zwei Drittel der Frauen mit Essstörungen von sexuellem Missbrauch betroffen; siehe auch Cuntz und Hillert 2000, S. 75ff sowie Klesse u.a. 1992, S. 121

[84] Rhode-Dachser 1991, S. 198

[85] Stahr/Barb-Priebe/Schulz 1995, S. 28ff

[86] Kreisman und Straus 1989, S. 25

dem impulsiven selbstschädigenden Verhalten in Form von „Fressanfällen" erklären. Wie auch bei der Selbstverletzung halte ich eine solche Zuordnung aus den genannten Gründen für problematisch. Cuntz und Hillert[87] vermuten, dass die psychischen Veränderungen während einer akuten Essstörung „das Bild einer Borderlinestörung imitieren können".

Essstörungen und Selbstverletzung sind »Krankheiten der Zeit«, die am eigenen Körper die durch die Individualisierung entstehenden Bewältigungsaufgaben junger Frauen (siehe 3.2.3.) sowie die individuellen Belastungen und Erfahrungen (siehe 2.2.1.) austragen. Sie machen „die psychologischen Probleme zu physischen".[88] Nachfolgend werde ich diese Tendenz, Probleme über den Körper auszudrücken und dadurch »scheinbar« zu lösen, thematisieren.

### 3.3.3. Der Körper als »Schauplatz« für Probleme

Dagmar Preiß begründet die Zunahme von Essstörungen und Selbstverletzung mit der Tendenz, die gesellschaftlichen Widersprüche am eigenen Körper auszutragen.[89] Helfferich[90] hat dafür den Begriff der „imaginären Lösungen" geprägt, bei diesen werden strukturelle Probleme, die nicht gelöst werden können, auf einer symbolischen Ebene ausgedrückt. Damit entfalten sie ihre Wirkung in einem anderen Bereich, der über das ursprüngliche Problem hinausgeht. Die Widersprüche bei den durch die Individualisierung entstehenden Bewältigungsaufgaben junger Frauen (siehe 3.2.3.) werden durch die oft traumatisierenden Erfahrungen junger Frauen mit Selbstverletzendem Verhalten noch verstärkt.[91] Der Körper, der abgelehnt wird, soll im Zuge der Standardisierung einem Idealbild entsprechen, dem niemand entsprechen kann. Vogt[92] spricht in diesem Zusammenhang von einer „Auflösung alter Körpergrenzen" durch die Etablierung neuer Normierungen. Sie erklärt die Zunahme „neuer psychischer Störungen", in die ich in diesem Fall auch die Selbstverletzung einordne, mit der dadurch entstehenden Verunsicherung. Auch

---

[87] Cuntz und Hillert 2000, S. 74
[88] Hänsli 1996, S. 106
[89] siehe auch Stahr/Barb-Priebe/Schulz 1995, S. 69ff
[90] Helfferich 1994, S. 103
[91] Helfferich 1994, S. 100
[92] Vogt 1994, S. 104

bezüglich des Körpers kann so die Balance zwischen Selbstbestimmung und Normorientierung als zentrale Bewältigungsaufgabe gesehen werden.[93]

Der Körper ist für junge Frauen oft die beste Möglichkeit, ihre Einzigartigkeit und Unverwechselbarkeit zu demonstrieren. Er ist Austragungsort und »Schauplatz« bei dem Kampf um einen eigenen Lebensentwurf, soziale Zugehörigkeit und eine eigene Identität.[94] Gleichzeitig ist er auch oft die einzige direkte Gestaltungsmacht, die junge Frauen haben. Sie sind durch ihre Sozialisation, in der ihnen Freiräume vorenthalten wurden (siehe 3.1.1.), oft im Ausdruck und der Entfaltung auf den eigenen Körper begrenzt.[95] Der Körper als ein „Träger kultureller Ausdrucksformen" ist das Letzte, worüber verfügt werden kann.[96] Steiner-Adair[97] beschreibt bezüglich der Magersucht, dass junge Frauen mit dem Körper ihre Geschichte erzählen. Dies trifft nach meiner Auffassung auch auf junge Frauen mit Selbstverletzendem Verhalten zu.

Nach meiner Einschätzung wird der Ausdruck von Problemen über den Körper auch durch ein gesellschaftliches Klima begünstigt, in dem die Körpermedizin einen hohen Stellenwert einnimmt und das dualistische Denken mit einer Trennung in Körper und Seele immer noch vorherrscht. Eine körperliche Krankheit zu haben ist anerkannter als eine seelische, die von Arzt und Patient(inn)en immer noch als minderwertig angesehen wird.[98]

*„Ich wäre lieber »richtig« krank gewesen. Wenn jemand körperlich krank ist und im Krankenhaus ist, bekommt er Besuch, wird operiert, bekommt Medikamente - selbst muss er nicht viel tun. Bei psychischen Problemen hängt alles an einem selbst, man ist »selbst schuld«, man muss ja nur vergessen, nicht nachdenken, sich zusammenreißen, alles nicht so eng sehen (...). In der Psychiatrie besucht einen keiner, das wird peinlich verschwiegen. "*                                    Betroffenenbericht

Frauen leiden häufiger als Männer unter psychischen und psychosomatischen Erkrankungen. Die frühe Pathologisierung des weiblichen

---

[93] Stauber 1999, S. 60
[94] Stahr/Barb-Priebe/Schulz 1995, S. 84ff
[95] Helfferich 1994, S. 58; Böhnisch 1999, S. 150
[96] Helfferich 1994, S. 9
[97] Steiner-Adair 1992, S. 250
[98] Olbricht 1993, S. 14; Gerlinghoff/Backmund/Mai 1999, S. 15

Körpers und die damit verbundene Einnahme von Medikamenten tragen auf ihre Weise dazu bei.[99] Eine Auseinandersetzung mit dem Bereich der Psychosomatik, speziell unter Berücksichtigung weiblicher Aspekte wäre an dieser Stelle interessant, ist aber im Rahmen dieser Arbeit nicht möglich. Auf den Zusammenhang zwischen dem Gesundheitsverhalten von Frauen und der Selbstverletzung werde ich im Folgenden kurz eingehen.

Es bestehen geschlechtsspezifische Regeln zum „angemessenen Umgang mit dem Körper", diese sind laut Helfferich[100] bei Mädchen durch ein „weicheres" Verhältnis zum Körper und bei Jungen durch Verhaltenweisen, die Körpergrenzen schmerzhaft erfahren lassen, gekennzeichnet. Hieraus folgere ich die Hypothese, dass sich junge Frauen mit Selbstverletzendem Verhalten ein Stück mehr in Richtung »männlichem« Verhalten bewegen und sich diesen Regeln widersetzen. Allerdings geschieht dies auf stark gegen sich gerichtete Weise.

Ein guter Umgang mit dem eigenen Körper in Form von Selbstfürsorge scheint für die jungen Frauen, die ihren Körper zum Ausdruck ihrer Probleme benutzen, unmöglich. Das als weibliches Prinzip geltende „care", das durch Fürsorge, Rücksichtnahme und Anteilnahme charakterisiert wird[101], kann von Frauen oft nicht auf sich selbst, sondern nur bei anderen angewandt werden. Dies kann ich aus den Erfahrungen meines zweiten Praxissemesters in einem Kurhaus für Frauen bestätigen. Abgrenzung, »Nein-sagen«, im Alltag gut für sich zu sorgen und nicht nur für andere, aber auch sich selbst etwas zu erlauben waren sich immer wiederholende Themenschwerpunkte.

Klesse u.a.[102] beschreiben für das Gesundheitsverhalten von Frauen das Prinzip der Durchhalteorientierung, indem sie nicht klagen, nicht auf ihre Befindlichkeit achten und nicht für sich selbst sorgen, sondern durchhalten. Dieses ist vor allem bei Frauen vorhanden, die stark belastet sind und Erfahrungshintergründe von strengen Erziehungsmaßnahmen, Zwängen und körperlichen Enteignungserfahrungen wie Prügel oder sexuellen Missbrauch haben. Sie haben früh gelernt, dass das Wahrnehmen von Körpersignalen und das Reagieren auf Gefühle eigenen Schaden bringt und sich dieses abgewöhnt. Dies sind Erfahrungen, die auch viele junge Frauen mit Selbstverletzendem

---

[99] Kolip 1998, S. 507; Helfferich 1994, S. 164ff; Klesse u.a. 1992, S. 118f
[100] Helfferich 1994, S. 58f
[101] Gilligan 1985, S. 27
[102] Klesse 1992, S. 120ff

Verhalten gemacht haben. Nach meiner Einschätzung kann ihr Verhalten als Durchhalteorientierung verstanden werden, indem die Selbstverletzung für sie bestimmte Funktionen erfüllt (siehe Kapitel 2.3.), die ein Weiterleben, „Funktionieren" und somit auch ein Durchhalten ermöglichen. Auf dieses Verständnis der Selbstverletzung als Möglichkeit zur Lebensbewältigung werde ich in Kapitel vier eingehen.

Der Aspekt, dass zu ihnen selbst auch ihr Körper gehört, ist jungen Frauen mit Selbstverletzendem Verhalten oft nicht bewusst. Deshalb halte ich es nach der umfassenden Betrachtung der Bedeutung des weiblichen Geschlechts für die Selbstverletzung für besonders wichtig, die Ganzheitlichkeit im Verständnis von Selbstverletzung und Weiblichkeit zu betonen. Der Körper ist nicht von psychischen und gesellschaftlich-sozialen Einflüssen trennbar. Die Persönlichkeit, die durch die Sozialisation geprägt ist, spiegelt sich im Verhalten wider, dieses wird wiederum durch die Dynamik gesellschaftlicher Akzeptanz oder Ablehnung geprägt. Die Anforderungen, die durch gesellschaftliche Prozesse entstehen, werden mit Hilfe dieses Verhaltensrepertoires bewältigt.

# 4. Lebensbewältigung durch Selbstverletzung

Die Erklärungen für Selbstverletzendes Verhalten sind in der Literatur hauptsächlich auf psychoanalytische Ansätze begrenzt.[1] Einige Autoren gehen auch auf lerntheoretische Erklärungsansätze und biologische Aspekte ein.[2] Alle drei Theorien beinhalten Aspekte, die ich in der Funktion und Dynamik der Selbstverletzung in Kapitel 2.3. beschrieben habe. Darüber hinaus verweise ich auf die schon genannte Literatur. Aus Sicht der Sozialen Arbeit halte ich es für wichtig, diese Erklärungsansätze durch Bewältigungsmodelle zu ergänzen. Dies werde ich nach einer kurzen Auseinandersetzung mit dem Bewältigungsbegriff begründen. Da es bisher noch keine spezifische Literatur der Sozialen Arbeit zum Thema der Selbstverletzung gibt, werde ich den Aspekt der »Lebensbewältigung durch Selbstverletzung«, der auf den vorhergegangenen Kapiteln aufbaut[3], aus bestehenden Modellen und Ansätzen herleiten und anhand von zwei ausgewählten Modellen darstellen.

## 4.1. Bewältigung

Bevor ich meine Wahl der Erklärung des Selbstverletzenden Verhaltens als Bewältigungshandeln begründe, werde ich zum besseren Verständnis dieser Erklärung den Begriff der Bewältigung konkretisieren und seine Anwendung in meiner Arbeit definieren.

### 4.1.1. Definition und Kennzeichen der Bewältigung

Im alltagssprachlichen Gebrauch ist im Begriff der Bewältigung das positive Ergebnis in Form von Erfolg oder dem Ziel eingeschlossen. Der aus dem englischen stammende Begriff „Coping"[4], der im wissenschaftlichen Sprachgebrauch oft synonym zur Bewältigung verwendet wird, bedeutet im Alltag auch eine erfolgreiche Auseinandersetzung mit Belastung. Wenn es in der Fachwelt um Bewältigung geht, ist dieser Erfolg kein zwangsläufiges Merkmal.[5]

---

[1] siehe z.B. Sachsse 1999a, Sachsse 1989, Hirsch 1989, Hänsli 1996, Herpertz und Saß 1994
[2] siehe z.B. Hänsli 1996, Herpertz und Saß 1994
[3] Verweise werde ich deshalb nur an den wichtigsten Stellen machen.
[4] to cope (with) = etwas gewachsen sein, fertig werden (mit) (Willmann 1990, S. 140)
[5] Wendt 1995, S. 5f; Trautmann-Sponsel 1988, S. 14

Das fachliche Bewältigungsverständnis, das meiner Arbeit zugrunde liegt, versteht unter Bewältigung den Umgang mit einer Situation, die aus objektiver Sicht und/oder aus subjektiver Sicht der Betroffenen „in irgendeiner Weise belastend, schwierig, fordernd, [oder] unangenehm ist".[6] Die Begriffe „Coping" und Bewältigung verwende ich synonym.

Wendt[7] folgert aus ihren Ausführungen zur wissenschaftlichen Definition von Bewältigung und Krankheitsbewältigung folgende übereinstimmende Kennzeichen.[8]

Bewältigung
- ist immer Auseinandersetzung mit etwas,
- findet als Prozess statt,
- bezieht sich auf bewusste und unbewusste Verhaltensweisen und
- muss unabhängig von ihrem Erfolg definiert werden.

## 4.1.2. Gründe für die Wahl der Bewältigungserklärung

Die Erklärung von Selbstverletzendem Verhalten durch Bewältigungskonzepte halte ich aus folgenden Gründen für sinnvoll: Wie schon in Kapitel 2.2. erwähnt, gehe ich davon aus, dass menschliches Verhalten grundsätzlich für die jeweilige Person Sinn macht. Bewältigungskonzepte entsprechen diesem, indem sie das Individuum nicht nur in Form eines Leidenszustandes oder Störung sehen, sondern „als Subjekt, das sich mit seiner Umwelt auseinandersetzt".[9] Dadurch lenken sie den Blick auf die Ressourcen[10] des Individuums und zeigen Ansatzpunkte auf. Bewältigungskonzepte beinhalten auch eine Anerkennung, dass etwas im Leben schwierig oder nicht einfach ist. Sie erfüllen dadurch ein ethisches Bedürfnis von Empathie und Achtung. Ein weiterer Grund ist, dass die Bewältigungserklärung ein breites Spektrum von Ansätzen beinhalten kann. Sie ist nach meiner Einschätzung multiperspektivisch. Somit bietet sie einen breiten

---

[6] Weber 1997, S. 7

[7] Wendt 1995, S. 13

[8] Auf den Begriff der Bewältigung werde ich bei den Grundlagen des Stress-Coping-Modells in Kapitel 4.2.1.1. nochmals eingehen.

[9] Faltermaier 1987, S. 60

[10] „Ressourcen sind alle verfügbaren Kräfte und Mittel in sich und in seiner/ihrer Umwelt, die ein Mensch aktivieren kann, um mit Belastungen fertig zu werden, Konflikte zu lösen und letztlich die eigene Gesundheit zu erhalten oder wiederherzustellen." (Franzkowiak 1999a, S. 14)

und offenen Erklärungsrahmen, der von anderen Konzepten nicht geboten wird.[11]

## 4.2. Bewältigungsmodelle

Stress- und Bewältigungstheorien stellen sich der Frage, wie sich ein Mensch mit alltäglichen, normalen und kritisch-ungewöhnlichen Anforderungen an die eigene Persönlichkeit auseinandersetzt, wie die Verarbeitung dieser Anforderungen gelingt und welche gesundheitlichen Folgen sich ergeben.[12]

Das Stresskonzept bildet die Grundlage zur Erklärung von Gesundheitsrisiken durch soziopsychosomatische Ursachen[13]. Nachdem es sich im ersten Stadium der Forschung durch Selye in den 30er Jahren vor allem auf die Reaktion des Organismus auf Stress bezog, wurde das Stresskonzept von unterschiedlichen Wissenschaften weiterentwickelt. Der Schwerpunkt der Wirkung physikalischer und mechanischer Stressoren wurde durch soziale Stressoren und psychische Stressoren erweitert. Die Aufmerksamkeit richtete sich auf die individuelle Bedeutung von Stressoren und die Möglichkeiten der persönlichen und sozialen Bewältigung.[14] In diesem Kapitel werde ich auf das Stress-Coping-Modell[15] und das darauf aufbauende Lebensbewältigungskonzept eingehen. Die besondere Eignung dieser beiden Modelle zur Erklärung der Selbstverletzung als Bewältigungshandeln junger Frauen werde ich anschließend im Vergleich mit anderen Modellen begründen.

---

[11] Weber 1997, S. 10ff

[12] Hurrelmann 2000, S. 52

[13] soziopsychosomatische Ursachen = soziale Situationen, die psychisch verarbeitet werden und dadurch körperliche Reaktionen auslösen (Waller 1996, S. 45)

[14] Waller 1996, S. 45ff

[15] Das Stress-Coping-Modell wird in der Literatur nicht einheitlich beschrieben. Es wurde von verschiedenen Autoren modifiziert, z.B. in Richtung des „transaktionalen Modells der Bewältigung" oder dem „Situations-Verhaltens-Modell der Belastungsverarbeitung" (siehe Wendt 1995, S. 26ff und S. 55ff). Ich beziehe mich in meiner Beschreibung auf die allgemeinen Grundlagen des Modells.

## 4.2.1. Das Stress-Coping-Modell

Waller[16] bezeichnet das Stress-Coping-Modell (der Begriff »Belastungs-
Bewältigungs-Modell« wird von mir synonym verwendet), das auf der
medizinischen Stressforschung aufbaut und zwischen den psychosomatischen
und soziologischen Krankheitsmodellen steht, als „theoretische Basis der
Tätigkeit psychosozialer Berufe im Gesundheitswesen". Das ist ein zusätzlicher
Grund dieses als eine »Erklärung der Sozialen Arbeit« für die Selbstverletzung
anzuwenden - eine Erklärung, die den Bewältigungsaspekt des
Selbstverletzenden Verhaltens berücksichtigt. Nachfolgend werde ich die
Grundlagen des Stress-Coping-Modells darstellen und dieses anschließend als
Erklärungsmodell für das Selbstverletzende Verhalten junger Frauen anwenden.

### 4.2.1.1. Grundlagen des Stress-Coping-Modells

Zuerst werde ich nun auf die Frage eingehen, wie Stress bzw. Belastung im
Stress-Coping-Modell verstanden wird - »Was muss bewältigt werden?«.
Danach greife ich die darauf folgende Bewältigung (die ich bereits in 4.1.1.
definiert habe) auf.

### Stress - Belastung

Im Alltag wird der Begriff Stress vielseitig verwendet. Stress kann dabei
durchaus positiv sein, dann wird er als Eustress bezeichnet. In Abgrenzung dazu
wird Stress oder Belastung (ich verwende diese Begriffe synonym) im Stress-
Coping-Modell als „außergewöhnlich starke körperliche, seelische, geistige oder
soziale Anforderungen" definiert, die vorhandene Anpassungs- und
Regulationsfähigkeiten eines Menschen stark beanspruchen oder übersteigen.
Dieser negative Stress als Zustand des Ungleichgewichts wird als Distress
bezeichnet.[17]

Die Auswirkungen von Stress auf den menschlichen Organismus und daraus
entstehende Krankheitsrisiken und Krankheiten wurden umfangreich erforscht
und beschrieben.[18] Da es sich bei der Selbstverletzung nicht um eine Krankheit
handelt, deren Ursache stressbedingte physiologische Veränderungen sind[19],

---

[16] Waller 1997, S. 22
[17] Franzkowiak 1999a, S. 13f
[18] siehe z.B. Siegrist 1995, S. 171ff; auch Waller (1997, S. 22ff) bezieht sich auf körperliche
Krankheit
[19] Dies ergibt sich aus den vorhergegangenen, in meiner Arbeit dargestellten Erkenntnissen.

werde ich diese nicht thematisieren. Früher war die körperliche Stressreaktion zur Bewältigung physisch herausfordernder Situationen (bei Kampf und Jagd) gesundheitsförderlich. Heute ist diese im Wandel der Herausforderungen, die in einer hochindustrialisierten Dienstleistungsgesellschaft eher auf sozialer, kognitiver und emotionaler Ebene sind, nur noch in Ausnahmesituationen über körperliche Stressrelationen im Alltagshandeln sozial akzeptiert.[20]

Veränderte Herausforderungen stellen auch andere Belastungen (Stressoren) in den Mittelpunkt, die zu einer Verunsicherung, Bedrohung oder Überforderung des Individuums führen. Dies können

- Kritische Lebensereignisse, zum Beispiel der unerwartete Verlust einer wichtigen Bezugsperson, Trennung oder Scheidung, das plötzliche Eintreten einer schweren Krankheit, Arbeitsplatzwechsel oder Verlust des Arbeitsplatzes;
- Chronische Spannungen, zum Beispiel Rollenkonflikte wegen Doppelbelastung durch Arbeit und Haushalt, körperliche und nervliche Belastungen in der Arbeitswelt, langandauernde Arbeitsüberlastungen, enttäuschte Karriereerwartungen, andauernde Konflikte mit dem (Ehe-) Partner, emotionale Spannungen mit den Kindern, langandauernde Krankheiten; [oder]
- Schwierige Übergänge (Transitionen) im Lebenslauf, zum Beispiel vom Jugend- in das Erwachsenenalter, von der Schule in die Arbeitswelt, von der Arbeitswelt in das Rentnerleben [sein].[21]

Eine weiterer Stressor kann die Erfahrung von neuen Problemsituationen sein, in denen ein Mensch sich handlungsunfähig erlebt oder wiederholt bei Problemlösungsversuchen scheitert.[22]

Es gibt verschiedene Faktoren, die versuchen die Intensität von Belastungen einzuschätzen. Dabei sind Zeit und Dauer, wie lange Belastungen auf die Person einwirken, die negativen oder positiven Erfahrungen, die dadurch gemacht werden, und die Bewältigungsmöglichkeiten der Person von Bedeutung. Das Gefühl der Bedrohung steigt, je weniger eine Situation kontrolliert werden kann. Außerdem hat die Stresswahrnehmung und die gedankliche Bewertung der Belastung Einfluss auf ihre Bewältigung.[23]

---

[20] Badura und Strodtholz 1998, S. 156f

[21] Hurrelmann 2000, S. 54f; siehe auch Badura und Strodtholz 1998, S. 156f sowie Franzkowiak 1999a, S. 14

[22] Franzkowiak 1999a, S. 14

[23] Waller 1997, S. 23; Siegrist 1995, S. 180f

**Coping - Bewältigung**

Auf das Erleben von Belastungen folgt nach dem Stress-Coping-Modell bewusst oder unbewusst deren Bewältigung. Dabei steht wie schon beschrieben offen, ob diese erfolgreich ist. Die Bewältigungsmöglichkeiten und -strategien von Menschen sind von verschiedenen Faktoren abhängig, können sich unterschiedlich äußern und haben unterschiedliche Funktionen und Intentionen.

Es bestehen unterschiedliche Möglichkeiten, Belastungen zu bewältigen. Dabei werden zwei Bereiche unterschieden, die eng miteinander verbunden sind:

• persönliche Bewältigungsmöglichkeiten, d.h. Kompetenzen zur aktiven Problemlösung und das Grundgefühl Probleme konstruktiv lösen zu können und

• kollektive/soziale Bewältigungsmöglichkeiten, die im Umfeld in Form von gesellschaftlichen Hilfsangeboten und Dienstleistungen und vor allem durch soziale Unterstützung zur Verfügung stehen; soziale Unterstützung kann durch das Vorhandensein positiver sozialer primärer (z.b. Ehepartner, Familienangehörige, Freundinnen) oder sekundärer Beziehungen (z.b. Arbeitskolleginnen, Nachbarn, Vereinsangehörige) erfolgen.[24]

Diese beiden Bereiche sind wiederum von sozialstrukturellen Bedingungen abhängig. Waller[25] erklärt den Zusammenhang folgendermaßen:

...individuelle Persönlichkeits- und Verhaltensmerkmale [werden] wesentlich in der frühkindlichen Sozialisation erworben und sind somit gesellschaftlich vermittelt. Andererseits beeinflussen Art, Dichte und Dauer sozialer Beziehungen Persönlichkeitsmerkmale wie Selbstbewusstsein, Optimismus etc., die wiederum entscheidend sind für die Ausprägung individueller Bewältigungsaktivitäten.

Durch dieses Wechselspiel können auch die verschiedenen Bewältigungsarten erklärt werden. Bodenmann[26] unterscheidet dabei zwischen „offenem Coping", das sich durch direkt im Verhalten beobachtbare Bewältigungsreaktionen zeigt, und „verdecktem Coping", bei dem auf Belastungen intrapsychisch, z.B. mit Selbstvorwürfen oder Umbewertung reagiert wird. Lazarus und Folkman[27] nennen außerdem noch „die Unterlassung von Handlungen" und „die Suche nach Information" als Bewältigungsarten.

---

[24] Franzkowiak 1999a, S. 14; Franzkowiak 1999b, S. 105f; Waller 1997, S. 23
[25] Waller 1997, S. 23
[26] Bodenmann 1997, S. 87f
[27] Lazarus und Folkman, zitiert nach Schwarzer 1992, S. 134

Diese Bewältigungsarten können, wie von den meisten Autoren in Anlehnung an Lazarus beschrieben wird, zwei unterschiedliche Funktionen haben. Die Person handelt so, dass das Problem direkt beseitigt oder vermindert wird, dies wird als problembezogenes Coping bezeichnet. Oder die emotionale Belastung, die durch psychosoziale Belastungen entsteht, soll reguliert werden, indem die Person versucht ihr Denken und Fühlen zu verändern, dies wird als „emotionsbezogenes Coping" bezeichnet. Eine andere Unterteilung, die den Schwerpunkt auf die persönlichen Absichten des Individuums legt, differenziert zwischen den vier „Intentionen", der Regulation von Emotionen, der Lösung des zugrundeliegenden Problems, der Erhaltung des Selbstwerts und der Steuerung sozialer Interaktionen.[28]

Coping und Copingversuche können auch destruktiv sein und die Schädigung des Körpers z.B. in Form von Krankheit fördern. Deshalb ist es schwierig, zu bestimmen, ob die Funktionen und Intentionen der Bewältigung erfüllt werden bzw. zum Erfolg führen oder nicht.[29] Es stellt sich die Frage, was erfolgreiche Bewältigung ist, die vom Individuum und der Gesellschaft verschieden beantwortet werden kann und auch davon abhängt, was als Belastung angesehen wird. Dies zeigt sich auch bei der Anwendung des Stress-Coping-Modells auf das Selbstverletzende Verhalten junger Frauen.

### 4.2.1.2. Das Stress-Coping-Modell zur Erklärung von Selbstverletzung bei jungen Frauen

Bisherige Stress-Coping-Modelle erklären hauptsächlich die Entstehung von körperlicher Krankheit, nach meiner Einschätzung enthalten sie auch zentrale Aspekte zur Erklärung der Selbstverletzung als Bewältigungshandeln. Auf der Grundlage der vorausgegangenen Beschreibung des Stress-Coping-Modells und meiner bisherigen Auseinandersetzung mit Selbstverletzendem Verhalten junger Frauen werde ich nun ein »Stress-Coping-Modell von Selbstverletzendem Verhalten« entwickeln.

Es bestehen vielseitige Belastungen in Form von hohen Anforderungen bei den Bewältigungsaufgaben junger Frauen (siehe 3.2.3.). Die in Kapitel 2.2. beschriebenen Hintergründe und Entstehungszusammenhänge weisen bei der Folge einer Posttraumatischen Belastungsstörung und der damit beschriebenen Symptome auf eine chronische Belastung der Betroffenen hin. Kritische

---

[28] Schwarzer 1992, S. 134f; Wendt 1995, S. 33; Faltermaier 1987, S. 66
[29] Franzkowiak 1999a, S. 14

Lebensereignisse können auch bei der Selbstverletzung Auslöser sein, indem sie die Belastung verstärken. Bezüglich der Auslöser nennt Sachsse[30] die Zunahme der Trigger (Auslöse-Ereignisse) als Begründung für die Zunahme des Selbstverletzenden Verhaltens. Er beschreibt, dass Themen wie Kindesmisshandlung und sexueller Missbrauch Alltagsthemen geworden sind. Durch die Konfrontation mit ihnen erfolgt das Erinnern der Betroffenen, dadurch kann ein schwieriges Lebensereignis für sie wieder zur akuten Belastung werden.

Eine Verstärkung der Belastungen erfolgt dadurch, dass die Belastungen (durch die Symptome des nicht verarbeiteten Traumas) sich oft über einen sehr langen Zeitraum erstrecken und die Erfahrungen, die dadurch gemacht werden, mit Gefühlen der Bedrohung und des Ausgeliefertseins verbunden sind. Die Wahrnehmung der Belastungen ist bei jungen Frauen mit Selbstverletzendem Verhalten oft verzerrt. Sie werden nicht wahrgenommen, abgewertet oder in andere Bereiche verlagert (siehe auch Kapitel 3.3.). Dadurch werden belastungsadäquate Bewältigungsformen verhindert.

Reddemann und Sachsse[31] bezeichnen die Dissoziation als Trauma-Coping-Mechanismus mit der Funktion Gefühle nicht wahrzunehmen. Allerdings wird auch die Dissoziation von den Betroffenen als Belastung empfunden, die dann in Form der Selbstverletzung bewältigt wird. Dissoziation kann demzufolge als Bewältigungshandeln und Belastung verstanden werden. Sie setzt ein, bevor bedrohliche Gefühle bewusst wahrgenommen werden.[32] Sie ist ein der Selbstverletzung vorausgehendes verdecktes (intrapsychisches) Coping, dem, wenn der Zustand der Dissoziation für die Betroffene unerträglich wird, ein offenes Coping in Form der Selbstverletzungshandlung folgt. Hier wird wiederum der Zusammenhang zur in Kapitel 3.1. beschriebenen Tendenz von Frauen in schwierigen Situationen nach innen zu reagieren deutlich.

Werden die durch die verschiedenen Belastungen entstehenden Gefühle wahrgenommen, konkret oder durch diffuse Spannungen, werden diese durch

---

[30] Sachsse 1999b, S. 28

[31] Reddemann und Sachsse 1997, S. 118

[32] Siegrist (1995, S. 179f) unterscheidet aufgrund physiologischer Mechanismen und psychoanalytischer Theorien zwischen Emotionen und Gefühlen. Emotionen werden demzufolge nicht grundsätzlich durch Gefühle wahrgenommen, sondern können unbewusst sein. Damit kann die Dissoziation als Folge von Emotionen, zur Vermeidung von Gefühlen verstanden werden.

die Selbstverletzung als direkt sichtbare Reaktion bewältigt. Aus den gesamten
Belastungen ergibt sich das psychosoziale Erleben der Betroffenen.

In Kapitel 2.3.1. habe ich bereits die Funktion der Selbstverletzung bei der
Bewältigung von Gefühlen beschrieben. Daraus ergibt sich das Verständnis der
Selbstverletzung als emotionsbezogenes Coping. Ein problembezogenes Coping
der Betroffenen scheint bei den beschriebenen Belastungen nicht möglich, da
die gesellschaftlichen Bedingungen und Bewältigungsaufgaben durch ein
Individuum kaum veränderbar sind, die Situation, die zum Trauma führte, nicht
mehr durch eine direkte Reaktion beseitigbar ist und die Vermeidung von
Auslöserreizen bei einer aktiven Teilnahme am sozialen Leben nicht möglich
ist. Auf die für die Selbstverletzung anwendbare Intention, der Steuerung der
sozialen Interaktion, bin ich bereits bei den kommunikativen Aspekten der
Selbstverletzung (in Kapitel 2.3.2.4.) eingegangen. Auf die Intention der
Erhaltung des Selbstwerts durch die mit Hilfe der Selbstverletzung wieder
hergestellte Handlungsfähigkeit werde ich beim Lebensbewältigungskonzept als
zweitem Erklärungsmodell für die Selbstverletzung als Bewältigungshandeln
eingehen (siehe 4.2.2.).

Die Bewältigungsmöglichkeiten sind von zentraler Bedeutung, denn nur
wenn eine Person Alternativen zur Selbstverletzung hat, ist Veränderung
möglich. Die persönlichen Bewältigungsmöglichkeiten können bei jungen
Frauen mit Selbstverletzendem Verhalten durch ein negatives Selbstbild
behindert sein. Dadurch wird der Zugang zu kollektiven/sozialen
Bewältigungsmöglichkeiten in Form von konkreten Hilfsangeboten und
unterstützenden Beziehungen noch schwieriger. Persönliche und soziale
Bewältigungsmöglichkeiten sind wichtige Ressourcen, um das
»Bewältigungshandeln Selbstverletzung zu bewältigen«. Auf diese werde ich in
Kapitel fünf, in dem ich auf Konsequenzen für die Soziale Arbeit im
Zusammenhang mit dem Selbstverletzenden Verhalten junger Frauen eingehe,
zurückkommen.

Die körperliche Verletzung, die aus der Belastungsbewältigung resultiert,
kann wiederum Belastung sein, dadurch ergibt sich ein Kreislauf. Der
Belastungs-Bewältigungs-Ablauf wird dann als „psychische Störung"
klassifiziert.[33] Diesen Prozess mit seinen verschiedenen Einflussfaktoren
verdeutlicht das folgende Schaubild.

---

[33] Faltermaier 1987, S. 124

Abbildung 1: Das Stress-Coping-Modell zur Erklärung von Selbstverletzung bei jungen Frauen

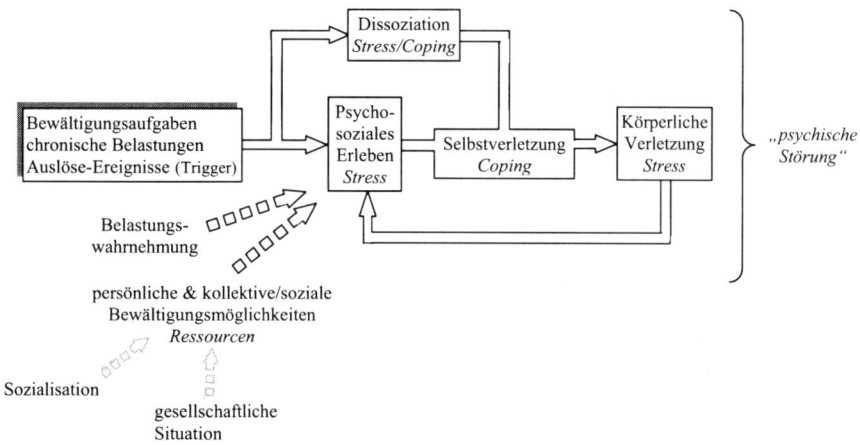

Das physiologische Stresskonzept, nach dem einer physischen Belastung eine physische Reaktion folgt, wurde wie bereits erwähnt durch soziale und psychische Stressoren, die sich wiederum im organisch-somatischen Bereich äußern, erweitert. Das Stress-Coping-Modell geht bei der Selbstverletzung darüber hinaus, indem auf emotionale, psychische und soziale Belastungen ein psychosoziales Erleben folgt, das dann von der Person selbst in Form der Verletzung auf den Körper übertragen wird.

## 4.2.2. Das Lebensbewältigungskonzept

Das Lebensbewältigungskonzept nach Böhnisch ist eine Erweiterung des Stresskonzepts, das die Individualisierungtheorie als Grundlage hat und damit den Umgang des Individuums mit den in Kapitel 3.2. beschriebenen Veränderungen besonders berücksichtigt. Als Theorie der Sozialen Arbeit thematisiert sie das „Ineinandergreifen von sozialen Strukturen und individuellen Handlungen". Die Handlungsfähigkeit des Individuums ist dabei von zentraler Bedeutung.[34] Die Grundzüge dieses Konzeptes werde ich nun beschreiben und anschließend als Erklärungsmodell für die Selbstverletzung als Bewältigungshandeln junger Frauen anwenden.

---

[34] Böhnisch 1999, S. 62f

*4.2.2.1. Grundlagen des Lebensbewältigungskonzepts*

Im Bewältigungsansatz, der nach Böhnisch[35] „*das* sozialpädagogische Konzept der Risikogesellschaft" ist, wird Bewältigung als subjektiv-biographisches Handeln, das grundsätzlich eine sozialintegrative Absicht hat, verstanden. Dieses Verständnis werde ich nachfolgend genauer beschreiben.

**Handungsfähigkeit, Integration und Biographie**

Die schon im Stress-Coping-Modell beschriebenen Belastungen in Form von Lebensschwierigkeiten und kritischen Lebensereignissen können aus Sicht der Betroffenen zum Verlust der Handlungsfähigkeit führen, sozial stellen sie Desintegrationstendenzen dar. Für die Betroffene, die den Druck zur Normalisierung erlebt, ist das primäre Ziel die Handlungsfähigkeit wieder herzustellen. Da dabei die Folgen der Handlung trotz der sozialintegrativen Absicht nachrangig sind, kann es in Krisen zu Handlungen kommen, die normwidrig sind und die soziale Desintegration noch fördern.[36]

Bewältigungshandeln kann also zur Integration oder Desintegration führen. Beides sind Lösungen, da sie Handlungsfähigkeit in der aktuellen Situation bedeuten und auch Desintegration wiederum zu einem Zusammenschluss und einer Zusammengehörigkeit von Menschen in ähnlichen abweichenden Lagen führen kann. Es entstehen Milieus[37], in denen Beziehungen die Lebensbewältigung und das Bewältigungshandeln in belastenden Situationen steuern. Dabei besteht die Gefahr, dass sie sich über abweichende Normorientierungen nach innen strukturieren und nach außen abgrenzen.[38]

Der von Böhnisch geprägte Begriff der biographischen Lebensbewältigung beschreibt die Verbindung zwischen der Lebensbewältigung, der sozialen Integration und der Biographie, indem sich das Bewältigungshandeln nicht in erster Linie an der „Handlungsfähigkeit in der Situation" orientiert, sondern an den bisher gemachten Bewältigungserfahrungen. Psychosoziale Krisen und Brüche werden in Übereinstimmung mit dem bisherigen Leben bewältigt. Das

---

[35] Böhnisch 1999, S. 30

[36] Böhnisch 1999, S. 30f

[37] Ein Milieu beschreibt „ein sozialwissenschaftliches Konstrukt, in dem die besondere Bedeutung persönlich überschaubarer, sozialräumlicher Gegenseitigkeits- und Bindungsstrukturen - als Rückhalte für soziale Orientierung und soziales Handeln" - gelten. (Böhnisch 1999, S. 54)

[38] Böhnisch 1999, S. 53ff

biographische „Integritätsproblem" steuert die Lebensbewältigung, die im Spannungsfeld zwischen Handlungsfähigkeit, sozialer Integration, Biographie und aktueller Situation geschieht.[39]

## Grunddimensionen der Lebensbewältigung

Böhnisch[40] unterscheidet folgende wichtige Dimensionen, die von Menschen bewusst oder unbewusst bei einer Bedrohung von biographischer Handlungsfähigkeit und sozialer Integration aktiviert werden, um ihre biographische Krise zu überwinden. Die Betroffenen erleben in der Situation in diesen Bereichen:

- **Selbstwertverlust** - darauf folgen Bemühungen den Selbstwert wieder zu steigern; das Ausmaß ist von der persönlichen Befindlichkeit und Betroffenheit und der Anerkennung durch andere abhängig.
- **Soziale Orientierungslosigkeit**, das bedeutet, sich nicht mehr zurecht finden zu können, weder in der Gesellschaft noch mit sich selbst; es folgt die Suche nach Orientierung oder Rückzug und Apathie.
- Fehlenden **sozialen Rückhalt**, was zur Suche nach Halt und Unterstützung führt.
- Sehnsucht nach **Normalisierung**, mit dem Wunsch einer Balance zwischen Handlungsfähigkeit und Integration, aus dem Stress der Handlungsunfähigkeit und der Desintegration herauszukommen.

Diese „Grunddimensionen der Lebensbewältigung" sind miteinander verbunden. Aus ihnen ergeben sich Ansatzpunkte für die Soziale Arbeit[41], auch indem sie abweichendes Verhalten nicht mehr etikettieren, sondern als individuellen Versuch handlungsfähig zu bleiben betrachten. Abweichendes Verhalten wird dabei in die Dimensionen von Handlungsfähigkeit, soziale Integration und Normalisierungshandeln „zerlegt".[42]

Dieses Konzept werde ich nun, ergänzend zum Stress-Coping-Modell, auf das Selbstverletzende Verhalten junger Frauen anwenden. Dabei werde ich auf die Dissoziation nicht mehr spezifisch eingehen, sondern sie unter den Zustand der Handlungsunfähigkeit einordnen.

---

[39] Böhnisch 1999, S. 31f
[40] Böhnisch 1999, S. 40ff
[41] auf diese werde ich in Kapitel fünf eingehen
[42] Böhnisch 1999, S. 61f

*4.2.2.2.  Das Lebensbewältigungskonzept zur Erklärung von Selbstverletzung
         bei jungen Frauen*

Die bereits bei der Anwendung des Stress-Coping-Modell (siehe 4.1.2.1.)
beschriebenen Belastungen können bei jungen Frauen mit Selbstverletzendem
Verhalten zum Verlust der Handlungsfähigkeit führen. Dabei sind die
(entwicklungstypischen) Bewältigungsaufgaben junger Frauen, die ich in
Kapitel 3.2.3. beschrieben habe, von zentraler Bedeutung. Außerdem führen
auch die in Kapitel 2.3. aufgeführten Gefühle, die durch die Selbstverletzung
bewältigt werden, dazu, dass junge Frauen sich ausgeliefert und
handlungsunfähig fühlen. Die sozialen Desintegrationstendenzen äußern sich
dadurch, den allgemeinen Anforderungen im Alltag nicht mehr gerecht werden
zu können bzw. durch die psychosozialen Belastungen (auch in Form von
Gefühlen und Dissoziation) nicht mehr am alltäglichen sozialen Leben
teilnehmen zu können. Der Druck zur Normalisierung kommt von der Person
selbst und von anderen, die wiederum durch ihre Biographie und die
gesellschaftlichen Erwartungen geprägt sind.

Die Selbstverletzung ist eine Möglichkeit für die Betroffene wieder
handlungsfähig zu werden. Die »Wahl« dieses Bewältigungshandelns beruht
primär auf den biographischen Erfahrungen der Betroffenen, die einerseits von
der weiblichen Sozialisation, die internale, gegen sich gerichtete
Bewältigungsmuster fördert (siehe 3.1), und andererseits von den in Kapitel
2.2.1. beschriebenen Erfahrungshintergründen und ihren Auswirkungen auf die
Entwicklung geprägt sind.[43] Die aktuelle Situation in Form der Belastungen und
die gesellschaftlich geförderte Tendenz Probleme über den Körper auszudrücken
(siehe 3.3.3.), fördert nach meiner Einschätzung zusätzlich, dass junge Frauen
die Selbstverletzung als Lösung des Problems der Handlungsunfähigkeit
anwenden.

Bewältigungshandeln kann wie vorher beschrieben zur Integration oder zur
Desintegration führen. Da die Betroffene den Zustand vor der Selbstverletzung
als unerträglich empfindet, spielen die Folgen des Bewältigungshandelns in
dieser Situation noch keine Rolle. Zuerst und so lange die Selbstverletzung
verheimlicht wird, könnte von einer kurzfristigen Integration ausgegangen
werden, indem die aktuelle psychosoziale Belastung überwunden ist und die
Betroffene das alltägliche Leben wieder »beherrscht«. Allerdings gehe ich

---

[43] Bei dieser Erklärung spielen Ansätze aus der Entwicklungspsychologie eine wichtige Rolle.
Auf diese kann ich im Rahmen dieser Arbeit nicht weiter eingehen.

davon aus, dass Selbstverletzendes Verhalten durch die entstehende Dynamik, Reaktionen von anderen und der Einstellung der Betroffenen sich selbst gegenüber zu einer Desintegration führt, die wiederum Selbstverletzendes Verhalten fördert.[44] Diese Desintegration kann dort, wo mehrere junge Frauen mit Selbstverletzendem Verhalten zusammentreffen, zur Milieubildung führen. In diesem Milieu, das bei der Selbstverletzung vor allem in Kliniken, Wohngruppen oder ähnlichen Einrichtungen entsteht, können sich neue Normen entwickeln. Eine Dynamik von »wer verletzt sich gefährlicher, öfter, mit verschiedensten Gegenständen, mit größeren Narben verbunden usw.« kann entstehen. Dies ist auch eine Gefahr in Selbsthilfegruppen von Menschen mit Selbstverletzendem Verhalten.

Im Folgenden beschreibe ich das Erleben von jungen Frauen, die sich selbst verletzen, in den Grunddimensionen der Lebensbewältigung, dabei werde ich Aspekte, die ich in Kapitel 2.3. bezüglich Dynamik und Funktion der Selbstverletzung und Aspekte der Individualisierung, die ich bei der Gesellschaftlichen Situation in Kapitel 3.2. beschrieben habe, wieder aufgreifen. Mein Ausgangspunkt ist die Situation der bedrohten Handlungsfähigkeit und sozialen Integration, die der Selbstverletzung voraus geht.

- Die Betroffene fühlt sich ohnmächtig und ausgeliefert, was zum **Verlust des Selbstwertgefühls** führt. Auch die Anforderungen an junge Frauen einem unerreichbaren Ideal zu entsprechen tragen dazu bei. Die Selbstverletzung führt mit ihrem »heimlichen Stolz« zu einer Aufwertung der Person, dem Gefühl etwas besonderes zu sein (auch als Gegenpol zur Standardisierung). Die Betroffene schafft es dadurch, Kontrolle über sich zu haben und im Gegensatz zu anderen nicht empfindlich zu sein.[45]
- In der **sozialen Orientierungslosigkeit**, die in einer Gesellschaft, in der alles offen ist, aber dadurch auch alles geplant werden muss, von den Betroffenen erlebt wird, schafft die Selbstverletzung Ordnung und »Kontrolle ins Chaos«. Das Bewältigungshandeln Selbstverletzung sorgt bei der Betroffenen dafür, wieder mit sich selbst und ihren Gefühlen klar zu kommen. Der Rückzug und die Apathie als Folge der Orientierungslosigkeit wird durch das »Antidepressivum« Selbstverletzung bewältigt.

---

[44] Dafür sprechen auch die Angaben von Betroffenen in der Untersuchung von Favazza und Conterio (1989, S. 286). Demnach fühlen sich 66 % direkt nach der Selbstverletzung besser. Ein paar Stunden bzw. Tage später fühlen sich jedoch die Mehrzahl schlechter.
[45] Hier ergibt sich wiederum ein Zusammenhang zur in Kapitel 3.3.3. beschriebenen Durchhalteorientierung von Frauen.

- Betroffene erleben einen fehlenden **sozialen Rückhalt**, ein Grund dafür ist die allgemeine relative Unverbindlichkeit in Beziehungen. Die Selbstverletzung ist dabei eine Möglichkeit, nicht auf andere angewiesen zu sein, sondern selbst den (inneren) Schmerz zu besiegen. Die Suche nach Halt und Unterstützung ist, wenn die Selbstverletzung als Bewältigungshandeln schon Gewohnheit ist, noch schwieriger, da Selbstverletzung als Symptom in der Öffentlichkeit noch ein Tabu-Thema ist.

- Durch die Selbstverletzung wird versucht wieder **Normalität** herzustellen, am Alltag und sozialen Leben wieder aktiv teilzunehmen, Zustände von Dissoziation zu beenden und wieder handlungsfähig zu sein. Dabei wird das Dilemma der Selbstverletzung deutlich, dass sie einerseits kurzfristig handlungsfähig macht, aber andererseits wiederum Schuld- und Schamgefühle bei der Betroffenen hervorruft und süchtigen Charakter annehmen kann. Die Folgen in Form von Desintegration und Milieubildung habe ich bereits beschrieben.

Aus diesen Grunddimensionen ergeben sich Ansatzpunkte der Sozialen Arbeit zur Vermeidung von und Unterstützung bei Selbstverletzendem Verhalten. Darauf werde ich in Kapitel fünf eingehen. Es wird deutlich, dass das Lebensbewältigungskonzept ein umfassender Ansatz ist, um Selbstverletzendes Verhalten zu erklären, da er biographische Hintergründe und gesellschaftliche Prozesse berücksichtigt. Dies verdeutlicht das folgende Modell.

Abbildung 2: Das Lebensbewältigungskonzept zur Erklärung von Selbstverletzung bei jungen Frauen - Selbstverletzung als subjektives biographisches Bewältigungshandeln mit sozialintegrativer Absicht

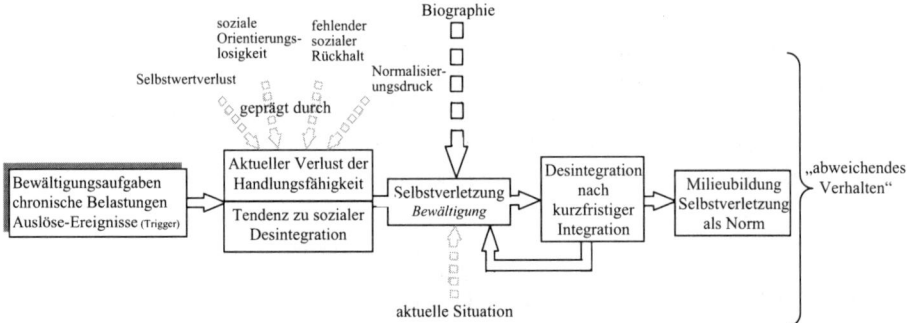

## 4.2.3. Die Eignung anderer Modelle zur Erklärung von Selbstverletzung bei jungen Frauen

Es besteht eine große Anzahl weiterer Modelle um Krankheit oder abweichendes Verhalten zu erklären. Meine Wahl des Stress-Coping-Modells und des Lebensbewältigungskonzepts zur Erklärung von Selbstverletzendem Verhalten junger Frauen und deren besondere Eignung werde ich nun durch eine kurze Darstellung anderer ausgewählter Modelle, die vor allem aus dem Bereich der Gesundheitswissenschaft stammen, begründen. Ich wähle diesen Bereich, da junge Frauen, die sich selbst verletzen, oft im »Gesundheitssystem« zuerst auffallen und auch den jeweiligen Erklärungsmodellen, die allerdings real noch sehr naturwissenschaftlich geprägt sind,[46] ausgesetzt sind. Rein psychologische und medizinisch-physiologische Modelle zur Erklärung der Selbstverletzung, die wie schon erwähnt schon von verschiedenen Autoren thematisiert wurden, werde ich dabei nicht berücksichtigen.

Das **Verhaltensmodell von Krankheit** erklärt die Entstehung von Krankheit durch gesundheitsgefährdende Verhaltensweisen, mit denen Alltagskonflikte bewältigt werden. Diese „Risikoverhaltensweisen" sind sozial akzeptiert, was für die Selbstverletzung nicht zutrifft. Das Modell ist deshalb für die Erklärung von Selbstverletzendem Verhalten nicht geeignet. Bei der Erklärung alltäglicher Selbstschädigung ist es von Bedeutung, dies habe ich bereits in Kapitel 1.1.1. berücksichtigt.[47]

Beim **psychosomatischen Krankheitsmodell** „wird dem Einfluss des Psychischen und Seelischen auf das Körperliche große Bedeutung zugemessen".[48] Demzufolge rufen Emotionen im Organismus psychologische und physiologische Veränderungen hervor, die direkt über die Beeinträchtigung des Immunsystems oder durch chronische Erhöhung der physiologischen Reaktivität zur Erkrankung führen. Bei dieser Betonung der körperlichen Reaktion wird die Nähe zum Stress-Coping-Modell deutlich, das nach meiner Einschätzung zur Erklärung von Selbstverletzendem Verhalten besser geeignet ist. Im Gegensatz zum psychosomatischen Krankheitsmodell stellt es den Bewältigungsaspekt verschiedener psychosozialer Belastungen präziser dar und

---

[46] siehe Olbricht 1993, S. 13ff
[47] Waller 1997, S. 25f
[48] Hurrelmann 2000, S. 59

zeigt durch die Berücksichtigung von Bewältigungsmöglichkeiten Ansatzpunkte auf.[49]

Sozialen Bedingungen, die im psychosomatischen Krankheitsmodell vernachlässigt werden, kommen im **sozialepidemiologischen Modell der Krankheitsentstehung** und im **sozialökonomischen Krankheitsmodell** besondere Bedeutung zu. Die soziale Schicht ist bei der Selbstverletzung nicht ausschlaggebend (siehe Kapitel 2.2.). Die gesellschaftliche Situation wirkt zwar mit auf die Person ein, ist aber nicht alleiniger Faktor für die Entstehung von Selbstverletzendem Verhalten. Deshalb ist dieser monokausale Ansatz als alleinige Theorie eher nicht zur Erklärung des Selbstverletzenden Verhaltens geeignet.[50]

In ihrer umfassenden Berücksichtigung verschiedener Faktoren bei der Entstehung „sozialer Abweichungen und Gesundheitsstörungen" kommen **Sozialisationstheoretische Modelle** dem Lebensbewältigungskonzept sehr nahe. Die Bewältigung als „Arbeit an sich selbst" und der Einfluss der Ressourcen auf die Bewältigung wird berücksichtigt. Auch die Lebensgeschichte des Individuums, konstruktive Sozialbeziehungen, Belastungen durch das Umfeld und soziale Integration werden als Faktoren für die Entstehung von Störungen aufgeführt. Trotz dieser multikausalen Sichtweise halte ich das Lebensbewältigungskonzept zur Erklärung des Selbstverletzenden Verhaltens für geeigneter, da es diese Faktoren auch enthält und zusätzlich noch die daraus entstehende Dynamik der Manifestation von Selbstverletzendem Verhalten berücksichtigt.[51]

Der **Lebenslage-Ansatz,** der als Theorie der Sozialen Arbeit die objektiven Lebensbedingungen, „die Einfluss auf die Lebensgestaltung und Lebensbewältigung des einzelnen, einer Familie oder einer sozialen Gruppe haben", berücksichtigt, ist mit seiner Frage nach den Handlungsspielräumen einer Person ein Ansatz Ressourcen zu erschließen. Allerdings berücksichtigt er als rein sozialstrukturelles Konzept bei der Erklärung der Selbstverletzung die individuellen Erfahrungshintergründe und ihren Einfluss auf die Lebensbewältigung zu wenig.[52]

---

[49] Waller 1997, S. 18ff
[50] Waller 1996, S. 46; Waller 1997, S. 36f
[51] Hurrelmann 2000, S. 60ff
[52] Schubert 1994, S. 187ff

Es wurde ersichtlich, dass die sich ergänzenden Modelle des Stress-Coping und der Lebensbewältigung eine umfassende Erklärung für die Selbstverletzung als Bewältigungshandeln junger Frauen bieten. Aus ihnen ergeben sich zentrale Ansätze, die Inhalt professioneller Sozialer Arbeit sind. Diese werde ich im folgenden Kapitel, in dem ich auf die Selbstverletzung als Handlungsfeld der Sozialen Arbeit eingehe, aufgreifen.

# 5. Selbstverletzung - ein Handlungsfeld der Sozialen Arbeit

Aus der Auseinandersetzung mit der Thematik des Selbstverletzenden Verhaltens junger Frauen folgere ich, dass es sich um ein multifaktorielles Problem handelt, das auch auf verschiedenen Ebenen angegangen werden sollte. Ansätze hierfür gibt es in der Sozialen Arbeit, zu deren Grundsätzen eine Erfassung der gesamten Bedingungen, denen ein Individuum ausgesetzt ist, gehört. Diese Ansätze, die ich zum Teil schon in den Bewältigungsmodellen in Kapitel 4.2. aufgezeigt habe, werde ich nachfolgend konkretisieren. Sie können auf das relativ neue Thema der Selbstverletzung, das viele Fragen aufwirft, angewandt werden. Dadurch entstehen Antworten, Ansatzpunkte und begründete Aufgaben für die Tätigkeit von Sozialpädagoginnen in diesem Bereich. Im Folgenden werde ich die Grundsätze professioneller Sozialer Arbeit aufzeigen. Aus diesen und den bisher erarbeiteten Aspekten der Selbstverletzung, insbesondere dem Verständnis der Selbstverletzung als Bewältigungshandeln, werde ich dann Konsequenzen für die Soziale Arbeit im Zusammenhang mit dem Selbstverletzenden Verhalten junger Frauen ziehen.

## 5.1. Grundsätze professioneller Sozialer Arbeit

Der Gegenstand professioneller Sozialer Arbeit ist die Entwicklung, Veränderung und Verbesserung der Handlungsfähigkeit von Menschen in ihrer Umwelt. Die Bewältigung des Alltags kann durch sozialisationsbedingte, materielle, physische, psychische und/oder sozial-strukturelle Bedingungen nicht entwickelt oder eingeschränkt sein.[1] Ich gebe nun einen kurzen Überblick über Arbeitsansätze und Handlungsleitlinien der professionellen Sozialen Arbeit, die sich im Verständnis der Selbstverletzung als Bewältigungshandeln und den sich daraus ergebenden Ansatzpunkten widerspiegeln.

### 5.1.1. Die Lebensweltorientierung

Die Lebenswelt eines Menschen ist subjektiv und umfasst die alltäglich wiederkehrenden Erfahrungen eines Menschen. Sie ist ein Möglichkeitsraum mit alternativen Handlungsmöglichkeiten.[2] Thiersch[3] bezeichnet die

---

[1] FH Esslingen - Hochschule für Sozialwesen 2001, S. 13
[2] Schubert 1994, S. 165ff

Lebensweltorientierung als Rahmenkonzept der Sozialen Arbeit, das die vorhandenen Lebensbedingungen der Adressaten, in denen Hilfe zur Lebensbewältigung stattfindet, die individuellen, sozialen und politischen Ressourcen und soziale Netze sowie lokale/regionale Strukturen berücksichtigt. Die Leitlinien der Lebensweltorientierung, die auch bei der Arbeit mit jungen Frauen, die sich selbst verletzen, zu berücksichtigen sind, lassen sich folgend konkretisieren.

**Prävention und Einmischung**

Prävention als Prinzip lebensweltorientierter Arbeit beinhaltet die Wahrnehmung und Bearbeitung individueller Problemlagen, auch um aus diesen Erkenntnissen Forderungen und Möglichkeiten, Konzepte und Methoden zu entwickeln, die die Entstehung schwieriger Lebensbedingungen verhindern.[4] Prävention wird nach der zeitbezogenen Kategorisierung folgendermaßen unterschieden:

- Primärprävention, die vor Eintritt einer Krankheit/Störung stattfindet, um eine solche durch unspezifische oder spezifische Maßnahmen zu verhindern,
- Sekundärprävention, die versucht das Fortschreiten einer Krankheit/Störung im (symptomlosen) Frühstadium durch Früherkennung und -behandlung zu verhindern und
- Tertiärprävention, die Folgeschäden einer Krankheit/Störung vermeiden oder vermindern möchte.

Es fällt auf, dass nahezu jede Art von Unterstützung gleichzeitig als Prävention und Intervention bezeichnet werden kann. Außerdem kann zwischen Verhaltensprävention - Präventionsmaßnahmen, die sich auf das Verhalten von Individuen und Gruppen beziehen - und Verhältnisprävention - Veränderungen der Umwelt - differenziert werden. Vor allem aus der Veränderung der Umweltverhältnisse ergibt sich die Notwendigkeit der Einmischung in gesellschaftspolitische und sozialpolitische Bereiche und Strukturen, mit der Anwaltsfunktion für Benachteiligte und Hilfesuchende.[5]

**Alltagsorientierung**

Lebensweltorientierte Soziale Arbeit orientiert sich am Alltag der Betroffenen. Dies kann bedeuten, dass Betreuungs- und Beratungsangebote im Wohnumfeld

---

[3] Thiersch 1997, S. 5
[4] Schubert 1994, S. 204f
[5] Schwartz und Walter 1998, S. 151ff; Herriger 1986, S. 5f

der Menschen integriert werden, Leistungen und Angebote niederschwellig gestaltet und zugänglich sind und die Stigmatisierung bei einer Inanspruchnahme von Hilfen aufgehoben wird. Desweiteren ist es von Bedeutung, institutionelle, organisatorische und zeitliche Zugangsbarrieren abzubauen.[6]

## Sozialräumliche Orientierung

Lebensweltorientierte Soziale Arbeit sieht Lebensprobleme im Gesamtkontext von sozialen, ökonomischen und politischen Bedingungen, im Zusammenhang mit strukturellen und sozialräumlichen Gegebenheiten. Dezentralisierung und Regionalisierung sollen durch Planung und Kooperation im Kontext der jeweiligen lokalen und regionalen Bedingungen die Einbindung in bestehende, gewachsene Strukturen fördern. Diese sozialräumliche Orientierung ist eng mit der Alltagsorientierung verbunden.[7]

## Integration

Die Lebensweltorientierung betont, dass Probleme nicht als Defizite oder Verschulden einzelner Personen aufgefasst werden können. Die Antwort darauf mit personenzentrierten Hilfeangeboten und, wenn diese nicht »erfolgreich« sind, einer Herausnahme der Person aus der Lebenswelt ist ihrzufolge oft nicht sinnvoll. Stattdessen hat die Integration als Leitlinie der Lebensweltorientierung das Ziel, Ausgrenzungen zu verhindern, die Lebenswelt der Betroffenen zu erhalten und an der Veränderung der Bedingungen zu arbeiten. Ausgrenzung ist möglich, wenn durch eine Person eine zu starke Belastung der Umwelt entsteht oder die Umweltstrukturen überbelastet und nicht veränderbar sind.[8]

## Partizipation

Es gibt keine „richtige Lebensführung", die durch Experten definiert wird und zur Entmündigung der Betroffenen führt. In der Lebensweltorientierung geht es darum, die Anliegen, Bedürfnisse und Zielvorstellungen der Adressaten sowie ihre persönlichen Kompetenzen und Mittel zu berücksichtigen und gemeinsam, durch Aushandlung zwischen Expertinnen und Betroffenen, Strategien zur Lebensbewältigung zu entwickeln. Menschen sind verschieden, haben unterschiedliche Lebenswelten und brauchen daher verschiedene Lösungen.

---

[6] Schubert 1994, S. 208; Zum Alltag als sozialwissenschaftliches Konzept, das durch gesellschaftliche Veränderungen geprägt ist, siehe Thiersch 1997, S. 41ff.
[7] Schubert 1994, S. 208f; Thiersch 1997, 31f
[8] Schubert 1994, S. 207

Partizipation beinhaltet Kooperation zwischen Professionellen und Betroffenen, aber auch zwischen Professionellen und ehrenamtlichen Helferinnen.[9]

Die Lebensweltorientierung betont die „ganzheitliche Wahrnehmung von Lebensmöglichkeiten und Schwierigkeiten, wie sie im Alltag erfahren werden". Mit diesem Ansatz kann die Soziale Arbeit als „lebensweltorientierte Hilfe zur Lebensbewältigung" verstanden werden.[10] Aus ihren Leitlinien ergibt sich die Ressourcenorientierung als weiterer wichtiger Ansatzpunkt.

## 5.1.2. Ressourcenorientierung

Die Wichtigkeit der Ressourcen wurde bezüglich der Bewältigungsmöglichkeiten schon in Kapitel 4.2. deutlich. Grundsätze der Lebensweltorientierung, die sozialräumlichen Möglichkeiten zu nutzen und auszubauen, im Sinne der Integration die Bedingungen und Möglichkeiten bei der Person und in ihrer Lebenswelt zu verändern oder auch die Berücksichtigung persönlicher Kompetenzen im Sinne der Partizipation weisen auf die Ressourcenorientierung hin. Auch bei der Gesundheitsförderung, die mit ihrem salutogenetischen Ansatz[11] über die klassische Prävention hinausgeht, ist die Stärkung von Gesundheitsressourcen und damit die Ressourcenorientierung von Bedeutung.[12]

Die Ressourcen als „Fundus an Energie und Möglichkeiten, aus dem angemessene Handlungskompetenz und Strategien zur Lebensbewältigung abgerufen oder aufgebaut und entwickelt werden können"[13], lassen sich dabei in personale und soziale/kollektive Ressourcen unterteilen.

**Personale Ressourcen**

Personale Ressourcen sind die spezifischen Muster und Möglichkeiten zur Verarbeitung und Handlung in belastenden Lebenssituationen, die durch die physiologische[14] und psychische Disposition, der Biographie und den

---

[9] Schubert 1994, S. 205f; Thiersch 1997, S. 33f

[10] Thiersch 1997, S. 24 und S. 245

[11] Die Salutogenese stellt als Gegenbegriff zur Pathogenese die Frage »Was erhält den Menschen gesund«.

[12] Hurrelmann 2000, S. 55f; Brösskamp-Stone/Kickbusch/Walter 1998, S. 141f; Schwartz und Walter 1998, S. 151ff

[13] Schubert 1994, S. 192

[14] Auf physische Gesundheitsressourcen gehe ich nicht ein, da sie umfangreiche medizinische Theorien und genetische Aspekte beinhalten und für das Verständnis von Selbstverletzung als Bewältigungshandeln nicht bedeutend sind. Stattdessen gehe ich vordergründig auf den

materiellen Möglichkeiten eines Menschen geprägt sind. Der Sozialisation kommt dabei, wie ich schon in den Bewältigungsmodellen in Kapitel 4.2. aufgezeigt habe, besondere Bedeutung zu. Gesundheitsfördernde personale Ressourcen bestehen aus Persönlichkeitseigenschaften, wie z.b. Zuversicht, positives Selbstwertgefühl und interpersonales Vertrauen, die durch die individuelle Biographie und Sozialisation entstehen. Personale Ressourcen haben dort ihre Grenzen, „wo soziale, ökonomische und ökologische Strukturbedingungen Belastungen hervorrufen, die von der Person nicht beeinflusst werden können".[15]

**Soziale Ressourcen**

Soziale Ressourcen sind soziale Bedingungen zur Bewältigung von Belastungen. Sie können als soziales Netzwerk Risiken und Belastungen abschwächen und neue Handlungsmöglichkeiten schaffen. Soziale Netze sind zentrale Ressourcen, indem sie Anknüpfungspunkte in der unmittelbaren Umgebung eines Individuums bieten und nach Bedarf soziale Unterstützung leisten. Sie haben eine wesentliche Bedeutung bei der Bewältigung von Krankheiten und der Förderung von Gesundheit.[16] Soziale Netze bestehen aus Menschen und deren Beziehungen zu anderen Menschen. Da jeder Mensch in sein soziales Netzwerk eingebunden ist, ist jedes Netzwerk einmalig, es verändert sich mit der Zeit, mit Ereignissen und Lebensabschnitten.[17] Soziale Netzwerke unterscheiden sich systematisch in:

- primäre Netzwerke: die Familie, Verwandte, Haushaltsangehörige und Freunde des einzelnen;
- sekundäre Netzwerke: vor allem selbstorganisierte soziale Gebilde im eigenen Lebensraum (wie Selbsthilfegruppen), aber auch höhergradig organisierte Vereinigungen und Verbände, wie Pro Familia u.a.;
- tertiäre Netzwerke: die professionellen Hilfssysteme, d.h. Beratungsstellen, Arztpraxen, Sozialstationen, Krankenhäuser, Pflegeheime u.a.m.[18]

---

Aspekt der Persönlichkeitseigenschaften als Gesundheitsressourcen ein, sie stellen Ansatzpunkte zur Bewältigung des Selbstverletzenden Verhaltens dar.

[15] Waller 1996, S. 26ff; Schubert 1994, S. 193f; Ökonomische und ökologische Bedingungen stelle ich nicht näher dar, da sie bei der Selbstverletzung nicht von Bedeutung sind.

[16] Trojan 1999, S. 104f

[17] Rose 1992, S. 64

[18] Trojan 1999, S. 104

Die schon genannte soziale Unterstützung durch diese Netzwerke benennt die Beziehungen eines Menschen - deren Art, Umfang und Qualität - als grundlegend für seine seelische und körperliche Gesundheit[19]. Soziale Unterstützung besteht aus positiven sozialen Beziehungen mit unterschiedlicher Intensität und Nähe (primäre: z.b. Lebenspartner oder Freundinnen; sekundäre: z.B. Arbeitkolleginnen oder Nachbarn). Diese können als „kollektive Bewältigungsmöglichkeiten" psychosoziale Belastungen abschirmen oder neutralisieren sowie bei deren erfolgreichen Bewältigung helfen. Verbesserte Soziale Unterstützung in akuten Krisen und bei chronischen Belastungen befähigt Betroffene stärker zu konstruktiven Bewältigungsstrategien und kann das Ausmaß von psycho-physischen Störungen und Krankheiten verringern. Daraus ergibt sich die Netzwerkförderung als Handlungsstrategie der Sozialen Arbeit, die durch die in Kapitel 3.2. beschriebenen gesellschaftlichen Entwicklungen zusätzlich an Bedeutung gewinnt.[20]

Schubert[21] konkretisiert diese sozialen Ressourcen durch ihre Eigenschaften und Funktionen. Auf familiärer (primärer) Ebene sind dies Anpassungsfähigkeit und Zusammenhalt; auf familienübergreifender (sekundärer Ebene) u.a. das Herstellen neuer Kontakte, die Vermittlung von Informationen, emotionale Unterstützung und Entlastung, Vermittlung sozialer Identität und Zusammengehörigkeit; und auf institutioneller, politischer und kultureller (tertiärer) Ebene die Überschaubarkeit politischer und institutioneller Zusammenhänge, in Entscheidungsprozesse einbezogen zu sein und eine Kontrollmöglichkeit zu haben, die Identifikation mit politischen und institutionellen Zielsetzungen und kulturell-gesellschaftliche Bewältigungshilfen (z.B. Trauerzeremonien).

Die Ressourcen und Stärken zu erkennen und diese in soziale Handlungen umzusetzen ist auch ein Grundsatz des Empowerments, das ich als eine weitere Grundlage professioneller Sozialer Arbeit im Folgenden beschreiben werde.

---

[19] Bei der folgenden Verwendung des Gesundheitsbegriffs berufe ich mich auf die Weltgesundheitsorganisation (WHO), die Gesundheit als „Zustand des vollständigen körperlichen, geistigen und sozialen Wohlbefindens und nicht nur die Abwesenheit von Krankheit und Gebrechen" definiert. (WHO 1946, zitiert nach Schwartz/Siegrist/von Troschke 1998, S. 10f)

[20] Trojan 1999, S. 104f; Franzkowiak 1999b, S. 105f; Badura und Strodtholz 1998, S. 157f

[21] Schubert 1994, S. 194ff

## 5.1.3. Empowerment

Empowerment (wörtlich übersetzt: „Bemächtigung") geht davon aus, dass die Fähigkeiten und Möglichkeiten einer Person ihr Leben selbst zu kontrollieren eine wichtige Voraussetzung für körperliches und seelisches Wohlbefinden sind und viele Fähigkeiten beim Menschen bereits vorhanden sind. Deshalb sucht und betont dieses Konzept die vorhandenen Stärken und Ressourcen sowie die Rechte der Hilfe- und Ratsuchenden. Ziel ist die Förderung der Fähigkeit von Menschen ihr Leben durch die Schaffung von Handlungsmöglichkeiten selbst zu gestalten.[22]

Herriger[23] präzisiert die Grundannahmen des Empowerments in 5 „Bausteinen":

• Das Vertrauen in die Fähigkeiten jeder einzelnen ihr Leben selbst gelingend zu gestalten und in ihre Stärken, die zum Teil durch eine Biographie mit Ohnmachtserfahrungen geprägt ist. Dies kann durch die „Vermittlung der Erfahrung von der Veränderbarkeit und Gestaltbarkeit der eigenen Lebensumstände" (Unterstützungsmanagement) geschehen. Die „Arbeit an der Biographie" durch die Thematisierung zurückliegender positiver Selbstwerterfahrungen und daraus die Entwicklung einer wünschenswerten Zukunft (Kompetenzdialog) sowie die Erfahrung von sozialer Unterstützung und Rückhalt (Netzwerkarbeit, siehe 5.1.2.) sind weitere Möglichkeiten.

• Die Akzeptanz des „Eigen-Sinns" der Adressatin. Diese wird durch das Prinzip der »akzeptierenden Haltung«[24] in der Sozialen Arbeit erfasst. Diese Akzeptanz hat dort ihre Grenze, wo Grundwerte wie z.B. die physische und psychische Integrität in Gefahr geraten. In diesen Grenzsituationen geht es darum, die eigene Überzeugung darzustellen und unmissverständlich Grenzen zu setzen.

• Der Respekt vor „den eigenen Wegen und der eigenen Zeit", die von Adressatinnen benötigt werden, da Empowermentprozesse nicht linear, sondern über Umwege verlaufen. Dabei ist für die Sozialpädagogin der Balanceakt zwischen dieser Forderung und der Forderung nach der Formulierung »smarter Ziele«[25] zu leisten.

---

[22] Stark 1999, S. 17f; Herriger 1997, S. 11ff; Schubert 1994, S. 203f
[23] Herriger 1997, S. 75ff
[24] Die akzeptierende Haltung als Grundlage der Sozialen Arbeit beinhaltet das diagnostische Verstehen anderer Menschen, die Reflektion und Analyse eigener Impulse sowie die Einfühlung und Akzeptanz des Klienten, nicht unbedingt des Verhaltens.
[25] Ziele sollen demzufolge spezifisch, messbar, akzeptabel bzw. attraktiv, realistisch und terminiert sein.

- Der Verzicht auf „entmündigende Expertenurteile" durch die Definition von Lebensproblemen, Problemlösungen und Zukunftsperspektiven.
- Die Orientierung an der Zukunft und den Möglichkeiten im Leben. Dabei kann auch der biographische Aspekt in Bezug auf positive Erfahrungen und Entscheidungen, die in Sackgassen führten, unter dem Blickwinkel, was diejenige heute anders machen würde, berücksichtigt werden.

Empowermentprozesse können durch Fachleute angestoßen, begleitet und unterstützt werden, indem sie durch Fragen eine „Suche" auslösen, die in Form von Erfahrungsaustausch und Diskussionen Kreise zieht (hier wird deutlich, dass soziale Netzwerke für Empowermentprozesse notwendig sind). In Empowermentprozessen entwickelt sich ein positives und aktives Gefühl des „In-der-Welt-Seins" sowie „Fähigkeiten, Strategien und Ressourcen, um aktiv und gezielt individuelle und gemeinschaftliche Ziele zu erreichen". Der Erwerb von Wissen und Fähigkeiten führt zu einem kritischen Verständnis der sozialen und politischen Verhältnisse und der eigenen sozialen Umwelt.[26] Der Prozess des Empowerments findet auf individueller Ebene, Gruppenebene und institutioneller Ebene statt.[27]

Die aufgeführten Grundsätze der Lebensweltorientierung, der Ressourcenorientierung und des Empowerments stellen hohe Ansprüche an Sozialpädagoginnen. Zu ihrer Umsetzung ist, wie auch in den Grundsätzen formuliert wird, die Beeinflussung von institutionellen und politischen Bedingungen nötig, um Grundlagen für die Arbeit zu schaffen.

## 5.2. Konsequenzen für die Soziale Arbeit im Zusammenhang mit dem Selbstverletzenden Verhalten junger Frauen

Aus der umfangreichen Auseinandersetzung mit der Thematik der Selbstverletzung bei jungen Frauen werde ich nun Konsequenzen für Aufgaben der Sozialen Arbeit und Unterstützungsmöglichkeiten durch Soziale Arbeit herleiten, die auf den aufgeführten Grundsätzen professioneller Sozialer Arbeit aufbauen.[28] Eine Differenzierung der Aufgaben Sozialer Arbeit bei der

---

[26] Stark 1999, S. 17f

[27] Da der Empowermentansatz eine umfassende Theorie ist, ist seine Darstellung auf den einzelnen Ebenen sowie die Vorgehensweise im Rahmen dieser Arbeit nicht möglich; siehe hierzu Herriger 1997, S. 85ff.

[28] Schmeißer (2000, S. 111ff), deren Buch die einzige mir bekannte Arbeit einer Soziapädagogin zur Thematik der Selbstverletzung ist, beschreibt die Aufgaben der

Selbstverletzung ist schwer möglich, da Unterstützungsmöglichkeiten, die für junge Frauen, die sich selbst verletzen, von Bedeutung sind, auch darüber hinaus für alle junge Frauen wichtig sein können. Aus Gründen der Übersichtlichkeit werde ich eine solche Differenzierung trotzdem vornehmen, weise aber auf Überschneidungen hin.

Im Folgenden werde ich Elemente einer Begleitung durch Soziale Arbeit sowie konkrete Aufgaben und Angebote für Betroffene aufzeigen. Anschließend folgen notwendige Entwicklungen im Umfeld und über die Selbstverletzung hinausgehende Handlungsnotwendigkeiten sowie die Bedeutung bestehender Handlungsfelder der Sozialen Arbeit als Primärprävention von Selbstverletzung. Mein Ziel besteht darin, Möglichkeiten der Sozialen Arbeit aufzuzeigen und anzuregen. Zu deren Umsetzung wäre eine umfassende Konzeptionsentwicklung notwendig, die im Rahmen dieser Arbeit nicht möglich ist.

## 5.2.1. Elemente der Begleitung von jungen Frauen mit Selbstverletzendem Verhalten durch Soziale Arbeit

In den Bewältigungsmodellen (siehe 4.2.) wurde der Ansatz an den persönlichen Bewältigungsmöglichkeiten (siehe 5.1.2. personale Ressourcen) der Betroffenen deutlich. Diese auszubauen und hinsichtlich konstruktiver Bewältigungsstrategien zu fördern ist Element einer Begleitung von jungen Frauen mit Selbstverletzendem Verhalten durch Soziale Arbeit. Dabei differenziere ich zwischen der akuten Situation, in der die Betroffene unter Druck steht sich selbst zu verletzen und der langfristigen Veränderung der Bewältigungsstrategien.

Im Internet sind auf entsprechenden Seiten ein breites Spektrum an Ratschlägen von Betroffenen als Alternativen zur Selbstverletzung zu finden.[29] Viele dieser Strategien sind allerdings von anderen Personen abhängig, auf deren Unterstützungsfunktion ich später eingehen werde. Personenungebundene

---

Sozialpädagogin in den „offenen" Berufsfeldern als beratend im Vorfeld und unterstützend um „den richtigen Therapeuten zu finden". Nach meiner Einschätzung bietet Soziale Arbeit weit mehr an Möglichkeiten bezüglich des Selbstverletzenden Verhaltens, diese werde ich in diesem Kapitel darstellen.

[29] siehe z.B. www.rotetraenen.de; Das Internet bietet ein breites Spektrum an Informationen zum Thema Selbstverletzung. Die meist von Betroffenen initiierten Homepages beinhalten Listen von Kliniken als Anlaufstellen für Menschen mit Selbstverletzendem Verhalten, Literaturhinweise, Austausch von Erfahrungen mit anderen Betroffenen (chat) sowie Berichte und Gedichte Betroffener.

Möglichkeiten sind z.B. Tagebuch schreiben, malen - eventuell damit ein Gefühl auszudrücken oder auch die Wahrnehmung des Körpers und das Erleben der Körpergrenzen durch duschen zu verbessern.

Längerfristig ist der Umgang mit Gefühlen von Bedeutung (siehe 2.3.1.). Es geht darum, andere Möglichkeiten zum Ausdruck von innerem Schmerz zu entwickeln sowie Gefühle wahrzunehmen und auch Wut und Ärger zeigen zu können. Von Bedeutung ist auch der Aufbau eines stabilen Selbstwertgefühl. Diese Notwendigkeit ergibt sich einerseits aus den Dimensionen der Lebensbewältigung und andererseits bei der »Selbstbestrafung« durch die Selbstverletzung (aufgrund des Gefühls nicht gut genug zu sein und sich über Leistung zu definieren) sowie der Selbstverletzung als »heimlichem Stolz«. Der Blick auf die persönlichen Ressourcen der Betroffenen kann zeigen, dass diese viele andere Eigenschaften hat, auf die sie stolz sein kann. Eine Ressource zeigt schon die Bedeutung der Selbstverletzung als Bewältigungshandeln, sie signalisiert dadurch einen Wunsch nach Integration und Normalität. Die Selbstverletzung beinhaltet außerdem die Tendenz etwas »offenlegen« zu wollen. Für Frauen mit Selbstverletzendem Verhalten kann es auch hilfreich sein, sich mit dem »Mechanismus« der Selbstverletzung auseinander zu setzen, um sich durch das Verständnis der Situation von Dissoziation und der damit verbundenen Handlungsunfähigkeit nicht mehr ausgeliefert zu fühlen und die Situation einschätzen zu können. Laut Dagmar Preiß kann die Frage nach den Gefühlen vor und nach der Selbstverletzung sowie die Auseinandersetzung damit, was dadurch erreicht werden möchte, und alternative Möglichkeiten um dies zu erreichen hilfreich sein.

Soziale/kollektive Bewältigungsmöglichkeiten (siehe 5.1.2. soziale Ressourcen), deren Bedeutung auch in den Bewältigungsmodellen (siehe 4.2.) deutlich wird, spielen auch bei der Begleitung von jungen Frauen, die sich selbst verletzen, eine wichtige Rolle. In akuten Krisensituationen können Kontakte, z.B. in Form von Telefonaten oder Möglichkeiten nicht allein sein zu müssen, zur Überbrückung hilfreich sein. Allerdings müssen hierzu Beziehungen vorhanden sein, bei denen die Betroffenen das Gefühl haben, sich der Person in ihrem Zustand »zumuten« und verletzlich zeigen zu können. Hier kann es eine durch die Grundsätze professioneller Sozialer Arbeit formulierte Aufgabe sein, die Betroffene dabei zu unterstützen, eigene (primäre) soziale Netze aus- und aufzubauen - Beziehungen einzugehen und diese aufrechtzuerhalten - sowie die Integration in sekundäre Netzwerke zu fördern. Sekundäre Netze können auch Selbsthilfegruppen sein, die aufgrund der Dynamik der Selbstverletzung fachlich begleitet werden sollten. Außerdem leistet die Sozialpädagogin dann selbst als tertiäres Netzwerk professionelle Hilfe. Für eine langfristige Veränderung sind soziale Netzwerke notwendig, da Beziehungen sozialen Rückhalt bieten können und die Möglichkeit geben, sich erfolgreich zu erleben. Bei jungen Frauen mit Selbstverletzendem Verhalten sind auch Beziehungen mit unterschiedlicher Nähe und Intensität von Bedeutung, indem es Menschen gibt, denen sie sich auch in Krisensituationen anvertrauen können, aber auch Menschen, bei denen sie »Normalität« leben können. Eine Veränderung der Bewältigungsstrategien kostet Kraft, die Betroffene braucht hierzu zumindest eine Vorstellung, dass es ein Leben gibt, für das es sich lohnt, diese Kraft aufzubringen. Es kann sein, dass diese Kraft anfangs eher wegen anderen und der Teilnahme am sozialen Leben aufgebracht wird, bevor es für die eigene Person geschieht. Soziale Netze sind somit auch notwendig, um den Kreislauf der Selbstverletzung zu durchbrechen.

Auch um die Belastungen auf persönlicher Ebene in Form der Auswirkungen eines Traumas angehen zu können, sind verlässliche Beziehungen, die Rückhalt geben, notwendig,. Die Grundannahmen des Empowerments (siehe 5.1.3.) legen nahe, dass die Biographie der Betroffenen gemeinsam mit ihr im Hinblick auf die Gestaltbarkeit und Veränderbarkeit des eigenen Lebens betrachtet wird und den Aspekt thematisiert, dass damals zwar keine Gegenwehr möglich war, sie aber heute dazu in der Lage ist. Auch die Erkenntnisse des Lebensbewältigungskonzepts bestätigen dies (siehe 4.2.2.2.), da die Bewältigung in der aktuellen Situation biographisch bedingt ist. Alternativen können sich durch die Auseinandersetzung mit den Erfahrungshintergründen entwickeln.

In der Begleitung von jungen Frauen, die sich selbst verletzen, ist es notwendig, auch den Körper mit einzubeziehen, da der positive Umgang mit ihm - seine Wahrnehmung und seine Bedeutung bei der Selbstverletzung (siehe 3.3.) - als ganzheitliches Phänomen zur Bewältigung derselben notwendig ist. Die Anwendung körperorientierter Methoden kann hilfreich sein.[30] Vor allem in Zuständen der Dissoziation kann auch Körperkontakt der Betroffenen helfen sich selbst wahrzunehmen.

Begleitung bedeutet auch Hilfe bei der Alltagsbewältigung, um gemeinsam mit der Betroffenen (Partizipation siehe 5.1.1.) Perspektiven und Wünsche für

---

[30] Zur Körpertherapie bei jungen Frauen mit Selbstverletzendem Verhalten, siehe Eckhardt 1994, S. 205ff.

ihr Leben zu entwickeln, sie zu unterstützen, ihre Entscheidungen zu treffen und diese umzusetzen. Dabei können z.b. Schule, Berufswahl, eigene Wohnung oder Möglichkeiten um Kontakte zu knüpfen Thema sein. Hilfe bei der Alltagsbewältigung kann in diesen Bereichen besonders beim Übergang von einer stationären Therapie in den Alltag nötig sein. Die Einbeziehung der Betroffenen ist zentrale Grundlage der Lebensweltorientierung und des Empowerments. Dagmar Preiß berichtet aus ihrer Arbeit mit jungen Frauen, die sich selbst verletzen, dass gemeinsam mit der Betroffenen bearbeitet werden muss, was Thema ist - Essstörung, Missbrauch oder Selbstverletzung. Aus der Einbeziehung der Betroffenen ergibt sich, dass trotz den allgemeinen Ansätzen, die ich hier aufführe, eine individuelle Fallarbeit mit der Betroffenen stattfinden muss. Dabei sollte auf der Grundlage einer Situationsanalyse und einer begründeten fachlichen Einschätzung ein Handlungskonzept entwickelt und umgesetzt werden, das die individuelle Lage der Betroffenen und ihre Ressourcen erfasst.

Dagmar Preiß hält es im pädagogischen Bereich für wichtig, den Blick auf Chancen und Grenzen zu richten. Darin sehe ich die Grundsätze des Empowerments der Orientierung an den Möglichkeiten und der Akzeptanz des „Eigen-Sinns" der Betroffenen (siehe 5.1.3.), der bei starker Selbstverletzung Grenzen hat. Diese Grenzen zu setzen kann laut Dagmar Preiß für die Betroffene entlastend sein, im Mädchengesundheitsladen wird deshalb mit Verträgen gearbeitet.

Bezüglich des Selbstverletzenden Verhaltens betont Dagmar Preiß, dass kontinuierliche Begleitung notwendig ist - durch wen ist dabei offen. Hier stellt sich die Frage der Abgrenzung von Therapie und Beratung, deren Nähe und Überschneidung bei der Begleitung von jungen Frauen mit Selbstverletzendem Verhalten deutlich wird. Aus Sicht der Sozialen Arbeit halte ich den Aspekt der Alltagsbewältigung für sehr wichtig, da das Leben durch den Alltag geprägt ist und dessen Berücksichtigung im Sinne der Ganzheitlichkeit als Leitlinie der Lebensweltorientierung grundlegend ist. Wenn Beratung und Begleitung nicht in umfassender Form durch eine Person stattfindet, halte ich eine enge Kooperation zwischen der Therapeutin und der Fachkraft Sozialer Arbeit für unumgänglich.[31] Therapie und Begleitung durch Soziale Arbeit müssen keinen

---

[31] Auf die umfangreiche Diskussion der Abgrenzung von Beratung und Therapie, die nach meiner Einschätzung nicht möglich ist, kann ich im Rahmen dieser Arbeit nicht eingehen.

Widerspruch darstellen. Die Form dieser Unterstützungsmöglichkeiten ist auch von den bestehenden Angeboten abhängig, auf die ich nun eingehen werde.

### 5.2.2. Angebote Sozialer Arbeit für junge Frauen mit Selbstverletzendem Verhalten und Anforderungen an diese Angebote

Aus den Elementen der Begleitung ergibt sich der Bedarf an konkreten Angeboten für Betroffene. Die in den Prinzipien der Lebensweltorientierung geforderte Integration, die Gefahr der Milieubildung (siehe 4.2.2.) und die Tatsache von Wartezeiten in spezifischen stationären Angeboten[32] ergeben einen Bedarf an ambulanten Angeboten für junge Frauen mit Selbstverletzendem Verhalten, die im Sinne der Alltagsorientierung niederschwellig und ohne monatelange Wartezeiten zugänglich sind.

Bei Beratungsangeboten ist zu berücksichtigen, dass laut Dagmar Preiß die jungen Frauen erst relativ »spät« Hilfe suchen und bei einer Weitervermittlung oft nicht ankommen. Wenn die Betroffene feststellt, dass sie mehr braucht, kann das ambulante Angebot auch eine Vorlaufzeit für eine stationäre Therapie sein. Das Hilfssystem sollte entsprechend ausgebaut werden, damit es nicht zu einer zusätzlichen Belastung für die Betroffene wird, wie es z.b. bei einer Abweisung bei einer Beratungsstelle oder durch die Erfahrungen eines Psychiatrieaufenthalts der Fall sein kann. Aus diesen Gründen halte ich es für wichtig, Beratungsangebote auszubauen und Fortbildungen der Mitarbeiter dort zum Thema der Selbstverletzung zu veranstalten. Da bei Selbstverletzendem Verhalten meist eine langfristige Begleitung erforderlich ist, halte ich es außerdem für notwendig, die Finanzierung solcher Maßnahmen neu zu überdenken. Diese ist z.b. durch die Krankenkassen nicht gewährleistet[33] und auch Hilfe für junge Volljährige nach § 41 KJHG (Kinder- und Jugendhilfegesetz) wird in der Regel nur bis zum Alter von 21 Jahren gewährt, darüber hinaus soll sie nur in begründeten Einzelfällen für einen begrenzten Zeitraum fortgesetzt werden.[34]

---

[32] Sachsse weist im Informationsmaterial der Station mit speziellem Therapieangebot für Menschen mit Selbstverletzendem Verhalten an der Fachklinik für Psychiatrie und Psychotherapie NKLH Göttingen darauf hin, dass aufgrund einer sehr langen Warteliste eine Aufnahme zur Probebehandlung in den nächsten 2 Jahren unwahrscheinlich ist.

[33] siehe Sachsse 1999a, S. 180

[34] Zur Diskussion des sich daraus ergebenden Rechtsanspruchs, siehe Münder 1993, S. 101f.

Bei der Ansiedelung von Angeboten speziell für junge Frauen mit Selbstverletzendem Verhalten ist die in der Alltagsorientierung geforderte Vermeidung von Stigmatisierung und im Sinne der sozialräumlichen Orientierung die Verteilung der Angebote bzw. das Wissen um deren Bestehen nicht nur im städtischen Bereich zu berücksichtigen.[35] Durch den großen Überschneidungsbereich von Essstörungen und Selbstverletzendem Verhalten bei jungen Frauen halte ich es für sinnvoll, die Zuständigkeit von spezifischen Beratungsstellen auf beide Thematiken auszurichten.

Bestehende Angebote können ausgebaut werden und so auch besonders für junge Frauen mit Selbstverletzendem Verhalten hilfreich sein. So kann z.B. die Telefonseelsorge als ein »Krisentelefon« für Betroffene, die keine primären Netzwerke haben, die sie in Situationen, in denen sie den Druck sich zu schneiden erleben, aktivieren können, bei der Überwindung des Drucks helfen. Auch hier wären Fortbildungen der Mitarbeiter notwendig, um den Betroffenen das Gefühl zu geben mit ihrer Thematik am richtigen Ort zu sein. Gleichermaßen müssen Betroffene auf diese Möglichkeit aufmerksam gemacht werden, lernen die Hemmschwelle zu überwinden und Hilfe anzunehmen.[36] Auch in Selbsthilfegruppen werden manchmal Telefonnummern für Krisensituationen ausgetauscht, dies kann hilfreich sein, es ergibt sich allerdings die Gefahr einer Dynamik unter den Betroffenen, die die Selbstverletzung verstärken kann, einerseits durch die in Kapitel 4.2.2.2. beschriebenen Aspekte der Milieubildung und andererseits durch die in Kapitel 3.3. beschriebene Tendenz von Frauen das »care-Prinzip« nur bei anderen anzuwenden. Deshalb besteht in solchen Gruppen die Gefahr, zwar anderen zu helfen, aber anschließend selbst durch die Überforderung und eigene Instabilität in eine Krise zu geraten.[37] Deshalb sollte wie schon erwähnt der Aufbau und die Begleitung von unterstützenden Gruppen bei Frauen mit Selbstverletzendem

---

[35] Daraus ergibt sich ein Bedarf an Öffentlichkeitsarbeit, auf die ich in Punkt 5.2.3. eingehen werde.

[36] In Großbritannien hat der „Bristol Krisen Dienst für Frauen" seinen Fokus auf der Selbstverletzung. Es wird ein Krisentelefon, Informationen, Veröffentlichungen und Fortbildungen für im professionellen Bereich Tätige angeboten. Umfangreiche Forschung findet statt. Außerdem wurde „Das Bristol-Modell" entwickelt, eine „Spezialtherapie für Frauen, die sich selbst verletzen". (Smith/Cox/Saradjian 2000, S. 80f)

[37] Ähnliches gilt auch für Austauschmöglichkeiten im Internet. Auf die Vor- und Nachteile dieses Mediums bezüglich der Selbstverletzungsthematik werde ich im Rahmen dieser Arbeit nicht eingehen.

Verhalten    durch    professionelle    Helferinnen    (im    besonderen
Sozialpädagoginnen) geschehen.

Die  Grundprinzipien  der  Sozialen  Arbeit  betonen  außerdem  die
Einbeziehung der Betroffenen in die Entwicklung von neuen Angeboten. Dies
erfordert Offenheit und Kreativität.

> *„Wenn ich den Boden unter den Füßen verliere, würde ich am liebsten*
> *eine »Patenfamilie« haben, bei der ich ein paar Tage mitleben kann -*
> *einfach so"*                                        *Betroffenenbericht*

Im  Sinne  der  passgenauen  Hilfen,  wie  sie  auch  in  den  momentanen
Entwicklungen in der Jugendhilfe gefordert und auch umgesetzt werden, wäre
dies eine Möglichkeit z.b. dieser Betroffenen die Unterstützung zu geben, die
sie braucht, ohne dass zusätzliche Abhängigkeiten entstehen - Hilfe nach dem
Baukastensystem  statt  stationärer  Unterbringung.  Die  Vermittlung  solcher
»Patenschaften« und ihre Begleitung wäre eine typische Aufgabe Sozialer
Arbeit.

### 5.2.3.  Notwendige Entwicklungen in der Sozialen Arbeit mit von
### Selbstverletzung Betroffenen

Aus  dem  Interview  mit  Frau  Abel  ergab  sich  die  Notwendigkeit  der
Unterstützung der Angehörigen von jungen Frauen mit Selbstverletzendem
Verhalten (siehe auch 2.3.3.1.). Frau Abel betont, dass es sehr wichtig ist,
jemanden zu haben, bei dem man offen darüber sprechen kann. Eine
Beratungsstelle hält sie dafür für ideal. Frau Abel ist der Meinung, dass es sehr
hilfreich wäre, mit anderen Eltern zu sprechen, die dasselbe Problem haben.
Dies  spricht  wiederum  für  spezielle  Kenntnisse  zur  Thematik  der
Selbstverletzung in Beratungsstellen und die Initiierung von Gesprächsgruppen
für Angehörige von jungen Frauen mit Selbstverletzendem Verhalten.

Aus den genannten Angeboten und besonders durch die in Kapitel 2.3.3.
genannten Aspekte von »Selbstverletzung und Beziehungen« ergibt sich ein
Bedarf  an  Öffentlichkeitsarbeit  und  Fortbildungen  zur  Thematik  der
Selbstverletzung. „Wahrheitsgemäßes Informieren über die Störung, ohne diese
zu  dramatisieren,  ist  der  beste  Weg,  die  Reaktionen  der  Patientin  zu
stabilisieren."[38] Dagmar Preiß erklärt, dass es wichtig ist, sich diesem Thema zu

---

[38] Levenkron 2001, S. 67

stellen, vor allem im pädagogischen Bereich. Selbstverletzung sei im Vergleich zu Essstörungen und Missbrauch kein öffentliches Thema, es werde tabuisiert. Sie betont, dass Selbstverletzung ein großes Thema werden kann, bei dem momentan noch zu wenig gemacht wird. Dies verdeutlicht nochmals den schon genannten Bedarf an Fortbildungen in diesem Bereich.[39] Bei im medizinischen, im psychiatrischen und im beraterischen Bereich Tätigen sind Informationen über die Selbstverletzung, zum Umgang mit den Betroffenen und zur Einschätzung der Problematik (siehe 2.3.2.1. Selbstverletzung und Suizid) von grundlegender Wichtigkeit. Dagmar Preiß hält außerdem Vorträge im pädagogischen Bereich für ein wichtiges Element der Öffentlichkeitsarbeit. Diese sollte außerdem in Zeitungen und in Form von Faltblättern zur Information für Betroffene und ihre Angehörigen stattfinden. Öffentlichkeitsarbeit kann dabei helfen, das Tabu Selbstverletzung aufzuheben und damit die Scham bei Betroffenen und den Kreislauf der Selbstverletzung (siehe u.a. 4.2.2.2.) vermindern.[40] Sie ist wichtig, damit sich junge Frauen mit Selbstverletzendem Verhalten trauen, nach außen zu gehen und Hilfe in ihren primären und sekundären Netzwerken und im professionellen Bereich zu suchen.

Bezüglich des Selbstverletzenden Verhaltens junger Frauen besteht Bedarf an (weiteren) Untersuchungen, auch aus Sicht der Sozialen Arbeit sowie die Aufnahme der Problematik in die Gesundheitsberichterstattung.

### 5.2.4. Über die Selbstverletzung hinausgehende Handlungsnotwendigkeiten für die Soziale Arbeit

Im Sinne einer Sekundärprävention, um zu vermeiden, dass es bei jungen Frauen mit psychosozialen Belastungen zu deren Bewältigung in Form der Selbstverletzung kommt, halte ich es für notwendig, Unterstützungsangebote offen und, wie schon bei den konkreten Angeboten für junge Frauen formuliert, niederschwellig zu gestalten. Nach meiner Einschätzung sind Schwierigkeiten der Betroffenen schon lange vor Beginn des Selbstverletzenden Verhaltens bemerkbar. Die Selbstverletzung sehe ich als einen verstärkten Hilferuf der

---

[39] Der Mädchengesundheitsladen veranstaltete im Oktober 2000 eine eintägige Fortbildung zum Thema Selbstverletzung, die aufgrund von Anfragen aus dem pädagogischen Bereich zustande kam. Dabei ging es vor allem um Fragen der Teilnehmerinnen, deren Alltagserfahrungen und Fallarbeit.
[40] Zur Gefahr durch Öffentlichkeitsarbeit die „Selbstverletzung als nachahmendes Verhalten" zu verstärken, siehe 2.3.2.3..

jungen Frau. Deshalb ist es weiterhin wichtig, Sensibilität für Problemlagen und damit verbundene Belastungen im pädagogischen Bereich zu schaffen. Dies betrifft schon den Kindergarten, aber auch vor allem die Schule, in der Schulsozialarbeit beim Erkennen und Angehen dieser Thematiken eine wichtige Rolle spielen kann. Bestehende Angebote im psychosozialen Bereich, wie z.b. der Kinderschutzbund, können auch als Sekundärprävention von Selbstverletzendem Verhalten verstanden werden. Sie können bei Gewalterfahrungen oder ähnlichem Unterstützung bieten, damit diese nicht zur bleibenden Belastung werden und in schwierigen Lebensphasen zur Selbstverletzung führen. Dies spricht für die Notwendigkeit bestehender Angebote Sozialer Arbeit und deren Ausbau.[41]

Da der Aspekt der Weiblichkeit und deren gesellschaftliche Prägung bei der Selbstverletzung von zentraler Bedeutung ist (siehe Kapitel drei), ergeben sich daraus auch wichtige Ansatzpunkte auf gesellschaftlicher Ebene.

In der weiblichen Sozialisation sollte innerhalb und außerhalb der Familie der konstruktive Umgang mit Gefühlen, die Förderung der Unabhängigkeit - trotzdem Rückhalt bietend - und die Veränderung von Geschlechtsstereotypen noch stärker gefördert werden. Bezüglich der durch die Individualisierung entstehenden Bewältigungsaufgaben junger Frauen (siehe 3.2.3.) scheint Unterstützung erforderlich. Offene Angebote für die Altersgruppe der 16-30 Jährigen können dabei Hilfe bieten und in einer von Übergängen geprägten Lebensphase als konstanter Bezugsrahmen soziale Unterstützung und Rückhalt leisten. Konstanz ist auch eine sich daraus ergebende Anforderung an institutionelle Zuständigkeiten, die sich in dieser Altersspanne verändern.

Das Prinzip der Einmischung fordert das kritische Hinterfragen der gesellschaftlichen Verhältnisse, die solche Bewältigungsaufgaben stellen. In diesem Sinne halte ich es für bedeutend, die bestehenden weiblichen Körperbilder zu hinterfragen. Hier entsteht ein Überschneidungsbereich in der Prävention von Essstörungen und der von Selbstverletzung. Bei beiden geht es darum, Alternativen zum Ausdruck gesellschaftlicher Widersprüche über den Körper zu schaffen. Arbeit mit Mädchen und Frauen ist nach meiner Einschätzung notwendig, auch um im Sinne einer »Frauengesundheitsarbeit« Ressourcen zu erschließen, die fördern, das »care-Prinzip« auch auf sich selbst anzuwenden. In diesem Arbeitsfeld ergeben sich Anforderungen an

---

[41] Auf bestehende Angebote der Primärprävention werde ich in Punkt 5.2.5. eingehen.

Sozialpädagoginnen, die Böhnisch[42] folgendermaßen beschreibt: „In der sozialpädagogischen Arbeit sind Gewährsfrauen gefragt; Frauen, die Mädchen und junge Frauen ermuntern und ihnen vorleben können, dass man seine Lebensschwierigkeiten nach außen tragen kann". Stauber[43] betont außerdem, dass Pädagoginnen „als erwachsene Frau sichtbar und erfahrbar" sein sollten. Eine eigene Position bedeutet Möglichkeit zur Anregung und Auseinandersetzung zu bieten, gleichzeitig aber auch verlässliche Ansprechpartnerin zu sein. Im Sinne einer Lebensweltorientierung, die von einem Rückkoppelungsprozess, einem gegenseitigen Austausch und Beeinflussungsverhältnis zwischen Mensch und Lebenswelt ausgeht, besteht so die Möglichkeit über die eigene Person gesellschaftliche Verhältnisse zu verändern.[44]

Öffentlichkeitsarbeit ist aus meiner Sicht über das Selbstverletzende Verhalten junger Frauen hinaus wichtig, um eine Veränderung der gesellschaftlichen Akzeptanz und Offenheit gegenüber psychischen Problemen zu schaffen und Umgangsweisen für psychische Krankheiten zu entwickeln, die es für körperliche Krankheiten schon gibt.

### 5.2.5. Primärprävention von Selbstverletzung als Bestätigung der Notwendigkeit und des Ausbaus bestehender Handlungsfelder der Sozialen Arbeit

Dagmar Preiß bezeichnet Prävention von Selbstverletzendem Verhalten im Sinne von Aufklärung darüber und Gruppenarbeit in Schulklassen oder ähnlichem als wenig sinnvoll.[45] Den Schwerpunkt sieht sie in der Intervention. Aufgrund der Erfahrungshintergründe der Betroffenen gehe ich allerdings davon aus, dass Formen der Prävention, die durch verschiedene Maßnahmen der Sozialen Arbeit stattfinden, auch Primärprävention von Selbstverletzendem Verhalten sind. Diese werde ich im Folgenden beispielhaft aufführen.

Maßnahmen zur Prävention von seelischer und körperlicher Misshandlung sowie von sexuellem Missbrauch sind typische Aufgaben der Sozialen Arbeit. Entlastungsangebote für Familien durch finanzielle Unterstützung oder in Form

---

[42] Böhnisch 1999, S. 207
[43] Stauber 1999, S. 62
[44] Schubert 1994, S. 171
[45] Eine sinnvolle Prävention in diesem Bereich ist meiner Einschätzung nach über konzeptionelle Entwicklungsarbeit bezüglich solcher Angebote möglich.

von Betreuungsangeboten für Kinder, Unterstützung in Erziehungsfragen und Aufklärung über kindliche Bedürfnisse sind Maßnahmen, die Gewalterfahrungen vermindern können, die wiederum oft Erfahrungshintergrund von Selbstverletzendem Verhalten sind. Auch Öffentlichkeitsarbeit, wie die Kampagne „Mehr Respekt vor Kindern" des Bundesministeriums für Familie, Senioren, Frauen und Jugend, die in Hinblick auf eine kindgerechte Erziehung z.b. mit Plakaten darauf aufmerksam machen wollen, dass auch »Worte Kinder schlagen können«, ist somit eine Primärprävention von Selbstverletzendem Verhalten.[46] An einer Enttabuisierung von sexuellem Missbrauch und Misshandlung wird schon länger gearbeitet.

Bezüglich traumatisierender Erlebnisse von Kindern durch Krankheit sollte nach meiner Auffassung die zum Teil bestehende Begleitung kranker Kinder und ihrer Familie weiter ausgebaut werden. Dies spricht auch für Soziale Arbeit im Krankenhaus, die nicht nur für organisatorische und sozialrechtliche Belange zuständig ist, sondern im Sinne der Ganzheitlichkeit das Erleben der Kinder und Eltern mit einbezieht.

Formen der Begleitung und Betreuung von Kindern sind ebenso zur Verhinderung von Beziehungsabbrüchen bzw. deren Verarbeitung wichtig. Eine Unterstützungsmöglichkeit zeigt das neue Angebot einer Gruppe für Kinder geschiedener Eltern der Psychologischen Beratungsstelle Esslingen beispielhaft. Die Begleitung durch Soziale Arbeit beim Tod naher Angehöriger ist ebenfalls eine schon bekannte Form der Hilfe, die auch für Kinder notwendig ist. Die für Kinder und Jugendliche notwendige Kontinuität in Beziehungen ist auch weiterhin in der Jugendhilfe zu berücksichtigen um Beziehungsabbrüche zu vermeiden bzw. diese zu verarbeiten.

Bei diesen Handlungsfeldern müssen auch Bedingungen und Entwicklungen, die gesellschaftliche Gewalt erzeugen oder die Diskontinuität in Beziehungen fördern, berücksichtigt werden.

Das Selbstverletzende Verhalten junger Frauen ist ein auszubauendes und neu zu erschließendes Handlungsfeld für die Soziale Arbeit. Aus der Anwendung der Grundprinzipien und dem Verständnis der Selbstverletzung als Bewältigungshandeln ergibt sich die besondere Eignung von

---

[46] Weitere Informationen zum Aktionsprogramm des Ministeriums siehe unter www.mehr-respekt-vor-kindern.de.

Sozialpädagoginnen für die Arbeit in diesem Bereich. Die bezüglich des Selbstverletzenden Verhaltens junger Frauen entwickelten Ansätze lassen sich folgendermaßen zusammenfassen:

• Als wichtige Elemente einer Begleitung durch Soziale Arbeit (im Sinne einer Verhaltensprävention) ergaben sich die Förderung persönlicher Bewältigungsmöglichkeiten in Form von Alternativen zur Selbstverletzung in akuten Situationen sowie die langfristige Veränderung in Form der Entwicklung konstruktiver Bewältigungsstrategien, auch im Umgang mit Gefühlen. Eine weitere Aufgabe Sozialer Arbeit ist die Unterstützung beim Aufbau sozialer Netze. Die Bedeutung der Einbeziehung des Körpers (Ganzheitlichkeit), der Hilfe bei der Alltagsbewältigung (vor allem bei »Lebensübergängen«) und der Notwendigkeit die Betroffene einzubeziehen (Partizipation) wurde deutlich.

• Angebote der Sozialen Arbeit im ambulanten Bereich sollten ausgebaut werden, ihre benutzerfreundliche Ansiedelung umgesetzt und ihre Finanzierung gesichert werden. Diese Punkte fordern auch sozialpolitische Einmischung. Der Ausbau bestehender Angebote und die Entwicklung neuer »passgenauer« Hilfen ist nötig.

• Darüber hinaus ist die Unterstützung von Angehörigen, Fortbildungen, Forschung und Gesundheitsberichterstattung sowie Öffentlichkeitsarbeit (der besondere Bedeutung zukommt) notwendig.

• Aus der umfassenden Betrachtung der Selbstverletzungsthematik ergibt sich ein allgemeiner Bedarf an Hilfe bei Belastungen junger Frauen im Sinne einer Sekundärprävention, eine Einmischung in gesellschaftliche Bedingungen (im Sinne einer Verhältnisprävention) und eine Veränderung dieser bezüglich der Einstellung zu psychischen Problemen. Es handelt sich also um ein umfassendes Tätigkeitsfeld, das durch besondere Anforderungen an Sozialpädagoginnen in der Arbeit mit jungen Frauen ergänzt wird.

• Bestehende Handlungsfelder der Sozialen Arbeit im Bereich der Prävention von Gewalt und die Begleitung von Kindern in schwierigen Lebenslagen können als Primärprävention von Selbstverletzendem Verhalten verstanden werden, ihre Notwendigkeit und der Bedarf diese Angebote auszubauen wird damit bestätigt.

# Schlusswort

Das Selbstverletzende Verhalten junger Frauen wurde in dieser Arbeit durch eine umfangreiche Betrachtung unter Berücksichtigung von Grundsätzen der Sozialen Arbeit fassbarer gemacht. Durch die Erklärung der Selbstverletzung als Bewältigungshandeln junger Frauen konnten die von mir in der Einleitung formulierten Fragestellungen beantwortet werden. Der Einfluss verschiedener Faktoren wurde deutlich. In den daraus entstehenden Konsequenzen für die Soziale Arbeit zeigte sich, dass in ihr zentrale Handlungsansätze liegen.

Es gibt viel zu tun, dafür soll diese Arbeit eine Grundlage bilden. Ich verstehe sie als Beitrag zur Aufhebung des Tabus Selbstverletzung. Weitere Arbeiten, die aufgezeigte Möglichkeiten detaillierter bearbeiten und zur Umsetzung beitragen, halte ich für notwendig. Während der Bearbeitungszeit meiner Diplomarbeit zeigte sich vor allem im Internet eine starke Zunahme der Informationen und Austauschmöglichkeiten bezüglich der Selbstverletzung. Diese interpretiere ich als weitere Bestätigung für die Aktualität des Themas. Nach meiner Einschätzung ist es wichtig, die Thematik der Selbstverletzung im Studium der Sozialen Arbeit aufzugreifen, damit Sozialpädagoginnen Erklärungsansätze ihrer professionellen Theorie und daraus entstehende Konsequenzen in die Praxis einbringen und umsetzen können. Sie sind wichtige Multiplikatorinnen. In diesem Sinne gehen auch einige Exemplare meiner Diplomarbeit in die psychosoziale und pädagogische Praxis.

Das Ende meiner Diplomarbeit wurde von den Terroranschlägen in den USA überschattet. Dies löste bei mir die Frage aus, ob ein so »individuelles« Thema, der Blick auf eine Gruppe junger Frauen, in Anbetracht solcher Ereignisse überhaupt von Bedeutung sein darf. Doch aufgrund der umfassenden Auseinandersetzung mit der Problematik der Selbstverletzung bei jungen Frauen komme ich zu dem Ergebnis, dass solche Ereignisse und dadurch entstehende gesellschaftliche Entwicklungen die Bewältigungsaufgaben junger Frauen zusätzlich erschweren. Das Gefühl der Hilflosigkeit und Angst vor der Zukunft kann sich verstärken. Dies trifft besonders Menschen im jungen Erwachsenenalter. Sie können das Ausmaß solcher Ereignisse und Entwicklungen eher begreifen als Jugendliche und sie haben die Zukunft noch vor sich. Im Gegensatz zu vielen Erwachsenen suchen sie noch ihre sichere Position im Leben. Einer Unterstützung in dieser Lebensphase kommt deshalb noch mehr Bedeutung zu. Gesellschaftliche Entwicklungen verstärken vorhandene individuelle Problemlagen und können so auch zur Zunahme von Verhaltensweisen wie z.b. der Selbstverletzung führen.

Der Blick auf die jungen Frauen, die sich selbst verletzen, verdeutlicht, durch ein »Extrem«, allgemeine gesellschaftliche Tendenzen. Es geht darum, dieses Verhalten »richtig« zu deuten und adäquate Hilfe zur Lebensbewältigung zu leisten. Die Bewältigungserklärung zeigt, dass Veränderung möglich ist, neue Perspektiven können sich entwickeln. Dies formuliert eine Betroffene:

*Zuspruch*

*Mir gehört die Gegenwart.*
*Mir gehört die Zukunft.*
*Ich habe viel erlebt - erleben müssen.*
*Es hat mich geprägt,*
*doch ich gestalte nun mein Leben.*
*Mit meiner Geschichte.*
*Sie ist mit Kerben eingeprägt,*
*doch ich ziehe nicht mehr ständig das Messer,*
*um zu beschreiben wie es geschah,*
*um es mir zu glauben.*
*Denn wer mich kennt, erkennt meine Tiefe.*
*Wer mich kennt, zeigt auch so Verständnis.*
*Wem ich wichtig bin, der achtet mich, beachtet mich,*
*schenkt mir Aufmerksamkeit und Zuneigung.*
*Weil ich so bin, wie ich jetzt bin.*
                                                                *Betroffenenbericht*

# Literaturverzeichnis

Anzieu, Didier. 1991. Das Haut - Ich. Frankfurt am Main.

Badura, Bernhard; Petra Strodtholz. 1998. Soziologische Grundlagen der Gesundheitswissenschaften. In: Hurrelmann, Klaus; Ulrich Laaser (Hrsg.). Handbuch Gesundheitswissenschaften. Weinheim und München, S. 145-174.

Bange, Dirk; Günther Deegener. 1996. Sexueller Missbrauch an Kindern: Ausmaß, Hintergründe, Folgen. Weinheim.

Beck, Ulrich. 1986. Risikogesellschaft: Auf dem Weg in eine andere Moderne. Frankfurt am Main.

Becker, Bernd-Michael; Horst Brömer. 1997. Sucht/Suchtgefährdung. In: Fachlexikon der sozialen Arbeit. 4., vollständig überarbeitete Auflage, Stuttgart/Berlin/Köln.

Beck-Gernsheim, Elisabeth. 1998. Was kommt nach der Familie? München.

Bengel, Jürgen; Regine Strittmatter; Hildegard Willmann. 1998. Was erhält Menschen Gesund?: Antonovskys Modell der Salutogenese - Diskussionsstand und Stellenwert. In: Bundeszentrale für gesundheitliche Aufklärung (Hrsg.). Forschung und Praxis der Gesundheitsförderung (Band 6). Köln.

Bergius, R.. 1998. Deprivation. In: Dorsch Psychologisches Wörterbuch. 13., überarbeitete und erweiterte Auflage, Bern u.a..

Bilden, Helga. 1991. Geschlechtsspezifische Sozialisation. In: Hurrelmann, Klaus; Dieter Ulich (Hrsg.). Neues Handbuch der Sozialisationsforschung. 4., völlig neubearbeitete Auflage, Weinheim und Basel, S. 279-301.

Bodenmann, Guy. 1997. Stress und Coping als Prozess. In: Tesch-Römer, Clemens; Christel Salewski; Gudrun Schwarz (Hrsg.). Psychologie der Bewältigung. Weinheim, S. 74-92.

Böcker, Felix. 1997. Selbsttötung. In: Fachlexikon der sozialen Arbeit. 4., vollständig überarbeitete Auflage, Stuttgart/Berlin/Köln.

Böhnisch, Lothar. 1999. Sozialpädagogik der Lebensalter: Eine Einführung. 2., überarbeitete Auflage, Weinheim und München.

Brösskamp-Stone, Ursel; Ilona Kickbusch; Ulla Walter. 1998. Gesundheitsförderung. In: Schwartz, F. W. (Hrsg.). Das Public-Health-Buch: Gesundheit und Gesundheitswesen. München/Wien/Baltimore, S. 141-150.

Bundesministerium für Familie, Senioren, Frauen und Jugend (Hrsg.). 2001. Bericht zur gesundheitlichen Situation von Frauen in Deutschland: Eine Bestandsaufnahme unter Berücksichtigung der unterschiedlichen Entwicklung in West- und Ostdeutschland. Schriftenreihe Band 209. Berlin.

Caspar, Franz. 1998. Ich. In: Häcker, Hartmut; Kurt H. Stapf (Hrsg.). Dorsch Psychologisches Wörterbuch. Bern u.a..

Cuntz, Ulrich; Andreas Hillert. 2000. Essstörungen: Ursachen, Symptome, Therapien. 2., aktualisierte Auflage, München.

Diagnostisches und Statistisches Manual Psychischer Störungen. DSM IV. 1998. Übersetzt nach der vierten Auflage des Diagnostic and Statistical Manual of Mental Disorders der American Psychiatric Association. Deutsche Bearbeitung: Henning Saß; Hans-Ulrich Wittchen; Michael Zaudig. 2., verbesserte Auflage, Göttingen u.a..

Dilling, H.; W. Mombour; M.H. Schmidt (Hrsg.). 2000. Internationale Klassifikation psychischer Störungen: ICD-10 Kapitel V (F). Klinisch-diagnostische Leitlinien. Weltgesundheitsorganisation. 4., durchgesehene und ergänzte Auflage, Bern u.a..

Duden. 1997. Band 5: Das Fremdwörterbuch. 6., überarbeitete und erweiterte Auflage, Mannheim u.a..

Eckhardt, Annegret. 1994. Im Krieg mit dem Körper: Autoaggression als Krankheit. Reinbek bei Hamburg.

Engfer, Anette. 1986. Kindesmisshandlung. Stuttgart.

Faltermaier, Toni. 1987. Lebensereignisse und Alltag: Konzeption einer lebensweltlichen Forschungsperspektive und eine qualitative Studie über Belastungen und Bewältigungsstile von jungen Krankenschwestern. München.

Faltermeier, Josef. 1997. Kindesmisshandlung. In: Fachlexikon der sozialen Arbeit. 4., vollständig überarbeitete Auflage, Stuttgart/Berlin/Köln.

Faulstich-Wieland, Hannelore. 1999. Weibliche Sozialisation zwischen geschlechterstereotyper Einengung und geschlechterbezogener Identität. In: Scarbath, Horst u.a. (Hrsg.). Geschlechter: Zur Kritik und Neubestimmung geschlechterbezogener Sozialisation und Bildung. Opladen, S. 47-62.

Favazza, A.R.; K. Conterio. 1989. Female habitual self-mutilators. In: Acta Psychiatrica Scandinavica 79. Kopenhagen, S. 283-289.

FH Esslingen - Hochschule für Sozialwesen. 2001. Informationen für Studierende.

Flaake, Karin; Vera King (Hrsg.). 1992. Weibliche Adoleszenz: Zur Sozialisation junger Frauen. Frankfurt am Main und New York.

Franzkowiak, Peter. 1986. Kleine Freuden, kleine Fluchten. In: Wenzel, Eberhard (Hrsg.). Die Ökologie des Körpers. Frankfurt am Main, S. 121-174.

Franzkowiak, Peter. 1999a. Belastung und Bewältigung „Stress-Coping-Modell". In: Bundeszentrale für Gesundheitliche Aufklärung (Hrsg.). Leitbegriffe der Gesundheitsförderung: Glossar zu Konzepten, Strategien und Methoden in der Gesundheitsförderung. Reihe „Blickpunkt Gesundheit" (Band 3). 2., aktualisierte Auflage, Schwabenheim an der Selz, S. 13-15.

Franzkowiak, Peter. 1999b. Soziale Unterstützung. In: Bundeszentrale für Gesundheitliche Aufklärung (Hrsg.). Leitbegriffe der Gesundheitsförderung: Glossar zu Konzepten, Strategien und Methoden in der Gesundheitsförderung. Reihe „Blickpunkt Gesundheit" (Band 3). 2., aktualisierte Auflage, Schwabenheim an der Selz, S.105f.

Franzkowiak, Peter; Manfred Lehmann. 1999. Gesundheits-/Krankheits-Kontinuum. In: Bundeszentrale für Gesundheitliche Aufklärung (Hrsg.). Leitbegriffe der Gesundheitsförderung: Glossar zu Konzepten, Strategien und Methoden in der Gesundheitsförderung. Reihe „Blickpunkt Gesundheit" (Band 3). 2., aktualisierte Auflage, Schwabenheim an der Selz, S. 53f.

Gerlinghoff, Monika; Herbert Backmund; Norbert Mai. 1999. Magersucht und Bulimie: Verstehen und bewältigen. Weinheim und Basel.

Gilligan, Carol. 1985. Die andere Stimme: Lebenskonflikte und Moral der Frau. München und Zürich.

Gneist, Joachim. 1997. Wenn Haß und Liebe sich umarmen: Das Borderline-Syndrom. München.

Goldbrunner, Hans. 1989. Arbeit mit Problemfamilien: Systemische Perspektiven für Familientherapie und Sozialarbeit. Mainz.

Grabrucker, Marianne. 1987. »Typisch Mädchen ...«: Prägung in den ersten drei Lebensjahren - Ein Tagebuch. Frankfurt am Main.

Häcker, Hartmut; Kurt H. Stapf (Hrsg.). 1998. Dorsch Psychologisches Wörterbuch. Bern u.a..

Haegele, Anja. 2001. Erst Musik, dann das Messer. In: Der Spiegel 5/2001. Hamburg, S. 60-62.

Hänsli, Norbert. 1996. Automutilation: der sich selbst schädigende Mensch im psychopathologischen Verständnis. Bern.

Hagemann-White, Carol. 1984. Sozialisation: Weiblich - männlich? Alltag und Biografie von Mädchen. Opladen.

Hagemann-White, Carol. 1992. Berufsfindung und Lebensperspektive in der weiblichen Adoleszens. In: Flaake, Karin; Vera King (Hrsg.). Weibliche Adoleszenz: Zur Sozialisation junger Frauen. Frankfurt am Main und New York, S. 64-83.

Helfferich, Cornelia. 1994. Jugend, Körper und Geschlecht: Die Suche nach sexueller Identität. Opladen.

Henschel, Angelika. 1993. Geschlechtsspezifische Sozialisation: Zur Bedeutung von Angst und Aggression in der Entwicklung der Geschlechtsidentität; eine Studie im Frauenhaus. Mainz.

Herpertz, Sabine; H. Saß. 1994. Offene Selbstbeschädigung. In: Der Nervenarzt 65. Berlin und Heidelberg, S. 296-306.

Herriger, Norbert. 1986. Präventives Handeln und Soziale Praxis: Konzepte zur Verhütung abweichenden Verhaltens bei Kindern und Jugendlichen. Weinheim und München.

Herriger, Norbert. 1997. Empowerment in der Sozialen Arbeit: Eine Einführung. Stuttgart/Berlin/Köln.

Hurrelmann, Klaus. 2000. Gesundheitssoziologie: Eine Einführung in sozialwissenschaftliche Theorien von Krankheitsprävention und Gesundheitsförderung. 4., völlig überarbeitete Auflage von „Sozialisation und Gesundheit", Weinheim und München.

Kaplan, Louise J.. 1991. Weibliche Perversionen: Von befleckter Unschuld und verweigerter Unterwerfung. Hamburg.

Kinder- und Jugendhilfegesetz (KJHG). Stand: 15. März 1996. In: Jugendrecht. 21., neubearbeitete Auflage, München 1997, S. 12 - 78.

Klesse, Rosemarie u.a.. 1992. Gesundheitshandeln von Frauen: Leben zwischen Selbst-Losigkeit und Selbst-Bewusstsein. Frankfurt und New York.

Klosinski, Gunther. 1999. Wenn Kinder Hand an sich legen: selbstzerstörerisches Verhalten bei Kindern und Jugendlichen. München.

Koch, Sannah. 1998. „Wenn ich mich schneide werde ich ruhig". In: Psychologie Heute 09/1998. Weinheim, S. 10f.

Kolip, Petra. 1994. Ein denkwürdiger Wandel - zur gesundheitlichen Lage im Jugendalter. In: Forschungsinstitut Frau und Gesellschaft (Hrsg.). Zeitschrift für Frauenforschung - Themenschwerpunkt: Frauengesundheit, Frauenkrankheit, Körperlichkeit. Bielefeld, S. 39-46.

Kolip, Petra. 1998. Was kann Publik Health in der Praxis leisten? Problemzugang Bevölkerungsgruppen: Frauen und Männer. In: Schwartz, F. W. (Hrsg.). Das Public-Health-Buch: Gesundheit und Gesundheitswesen. München/Wien/Baltimore, S. 506-516.

Kreisman, Jerold J.; Hal Straus. 1992. Ich hasse dich - verlaß mich nicht: Die schwarzweiße Welt der Borderline-Persönlichkeit. München.

Kriener, Martina; Luise Hartwig. 1997. Mädchen in der Erziehungs- und Jugendhilfe - Feministische Analysen und Ansätze in der Praxis. In: Friebertshäuser, Barbara; Gesela Jakob; Renate Klees-Möller (Hrsg.). Sozialpädagogik im Blick der Frauenforschung. Weinheim, S. 195-208.

Lamnek, Siegfried. 1995. Qualitative Sozialforschung (Band 2): Methoden und Techniken. München.

Levenkron, Steven. 2001. Der Schmerz sitzt tiefer: Selbstverletzung verstehen und Überwinden. München.

Münder, Johannes. 1993. Familien- und Jugendrecht: eine sozialwissenschaftlich orientierte Darstellung des Rechts der Sozialisation. Band 2 Jugendhilferecht. 3., vollständig überarbeitete Auflage, Weinheim und Basel.

Nuber, Ursula. 2001. Die schwierige Kunst, ein Erwachsener zu sein. In: Psychologie Heute 04/2001. Weinheim, S. 20-27.

Olbricht, Ingrid. 1993. Alles psychisch? Der Einfluss der Seele auf die Gesundheit. München.

Paar, Gerhard H.. 1996. Offene und heimliche Selbstbeschädigung: Diagnostik, Klinik und Therapie. In: Wenglein, Erik; Arno Hellwig; Matthias Schoof (Hrsg.). Selbstvernichtung: Psychodynamik und Psychotherapie bei autodestruktivem Verhalten. Göttingen und Zürich, S. 137-159.

Peters, Uwe Henrik. 2000. Lexikon Psychiatrie, Psychotherapie, Medizinische Psychologie. 5. Auflage, München und Jena.

Plaßmann, R.. 1989. Artifizielle Krankheiten und Münchhausen-Syndrome. In: Hirsch, Mathias (Hrsg.). Der eigene Körper als Objekt: Zur Psychodynamik selbstdestruktiven Körperagierens. Berlin u.a., S. 118-154.

Pressel, Alfred; Ingeborg Pressel. 1997. Sozialisation. In: Fachlexikon der sozialen Arbeit. 4., vollständig überarbeitete Auflage, Stuttgart/Berlin/Köln.

Reddemann, Luise; Ulrich Sachsse. 1997. Stabilisierung. In: Kernberg, Otto F.. Persönlichkeitsstörungen - Theorie und Therapie. Stuttgart, S. 113-147.

Reddemann, Luise; Ulrich Sachsse. 2000. Traumazentrierte Psychotherapie der chronifizierten, komplexen Posttraumatischen Belastungsstörung vom Phänotyp der Borderline-Persönlichkeitsstörungen. In: Kernberg, Otto F.; Birger Dulz; Ulrich Sachsse (Hrsg.). Handbuch der Borderline-Störungen. Stuttgart und New York, S. 555-572.

Rittner, Volker. 1994. Selbstbehauptung mit dem Körper, Schlankheit, Fitneß und Sportlichkeit als Körperideale und neue soziale Zwänge. In: Göpel, Eberhard; Ursula Schneider-Wohlfahrt, (Hrsg.). Provokationen zur Gesundheit: Beiträge zu einem reflexiven Verständnis von Gesundheit und Krankheit. Frankfurt am Main, S. 195-210.

Rohde-Dachser, Christa. 1991. Expedition in den dunklen Kontinent: Weiblichkeit im Diskurs der Psychoanalyse. Berlin.

Rohmann, Ulrich H.; Hellmut Hartmann. 1988. Autoaggression: Grundlagen und Behandlungsmöglichkeiten. Dortmund.

Rose, Barbara. Einfangen, Abschleppen oder Unterstützen? - Zur Bedeutung von Netzwerkansätzen in der Sozialen Arbeit. In: Sozialpädagogische Familienhilfe: Modelle - Perspektiven. Fachtagung vom 7.-10. Oktober 1992 in Saarbrücken, S. 64 - 69.

Sachsse, Ulrich. 1989. „Blut tut gut": Genese, Psychodynamik und Psychotherapie offener Selbstbeschädigungen der Haut. In: Hirsch, Mathias (Hrsg.). Der eigene Körper als Objekt: Zur Psychodynamik selbstdestruktiven Körperagierens. Berlin u.a., S. 94-117.

Sachsse, Ulrich. 1999a. Selbstverletzendes Verhalten: Psychodynamik-Psychotherapie; das Trauma, die Dissoziation und ihre Behandlung. 5. Auflage, Göttingen.

Sachsse, Ulrich. 1999b. Wo Tränen zu Blut werden: Interview von Wilfried Schneider mit Professor Ulrich Sachsse. In: Intra 39 - Zeitschrift für Psychotherapie. Bern, S. 28 - 35.

Sachsse, Ulrich. 2000. Selbstverletzendes Verhalten - somatopsychosomatische Schnittstelle der Borderline-Persönlichkeitsstörung. In: Kernberg, Otto F.; Birger Dulz; Ulrich Sachsse (Hrsg.). Handbuch der Borderline-Störungen. Stuttgart und New York, S. 347-370.

Sachsse, Ulrich; Katja Eßlinger; L. Schilling. 1997. Vom Kindheitstrauma zur schweren Persönlichkeitsstörung. In: Fundamenta Psychiatrica: Psychiatrie in Theorie und Praxis 11. Stuttgart, S. 12-20.

Schmeißer, Sybille. 2000. Selbstverletzung: Symptome, Ursachen, Behandlung. Münster/New York/München.

Schubert, Franz-Christian. 1994. Lebensweltorientierte Sozialarbeit - Grundpostulate, Selbstverständnis und Handlungsperspektiven. In: Klüsche, Wilhelm (Hrsg.). Professionelle Identitäten in der Sozialarbeit/Sozialpädagogik. Fachhochschule Niederrhein, Fachbereich Sozialwesen Mönchengladbach, S. 165 - 209.

Schwartz, Friedrich Wilhelm; Johannes Siegrist; Jürgen von Troschke. 1998. Wer ist gesund? Wer ist krank? Wie gesund bzw. krank sind Bevölkerungen?. In: Schwartz, F. W. (Hrsg.). Das Public-Health-Buch: Gesundheit und Gesundheitswesen. München/Wien/Baltimore, S. 8 - 31.

Schwartz, Friedrich Wilhelm; Ulla Walter u.a.. 1998. Prävention. In: Schwartz, F. W. (Hrsg.). Das Public-Health-Buch: Gesundheit und Gesundheitswesen. München/Wien/Baltimore, S. 151 - 170.

Schwarzer, Ralf. 1992. Psychologie des Gesundheitsverhaltens. Reihe Gesundheitspsychologie (Band 1). Göttingen/Toronto/Zürich.

Siegrist, Johannes. 1995. Medizinische Soziologie. 5., neu bearbeitete Auflage, München/Wien/Baltimore.

Smith, Gerrilyn; Dee Cox; Jacqui Saradjian. 2000. Selbstverletzung - »Damit ich den inneren Schmerz nicht spüre«: Ein Ratgeber für betroffene Frauen und ihre Angehörigen. Zürich.

Stahr, Ingeborg; Ingrid Barb-Priebe; Elke Schulz. 1995. Essstörungen und die Suche nach Identität: Ursachen, Entwicklungen und Behandlungsmöglichkeiten. Weinheim und München.

Stark, Wolfgang. 1999. Empowerment. In: Bundeszentrale für Gesundheitliche Aufklärung (Hrsg.). Leitbegriffe der Gesundheitsförderung: Glossar zu Konzepten, Strategien und Methoden in der Gesundheitsförderung. Reihe

„Blickpunkt Gesundheit" (Band 3). 2., aktualisierte Auflage, Schwabenheim an der Selz, S. 17f.

Stauber, Barbara. 1999. Starke Mädchen - kein Problem? In: Beiträge zur feministischen Theorie und Praxis: Sozialwissenschaftliche Forschung und Praxis für Frauen e.V. Heft 51, München, S. 53 - 64.

Stauss, Konrad. 1995. Vorwort von Konrad Stauss. In: Wardetzki, Bärbel. Weiblicher Narzissmus: Der Hunger nach Anerkennung. 6. Auflage, München, S. 7f.

Steiner-Adair, Catherine. 1992. Körperstrategien: Weibliche Adoleszenz und die Entwicklung von Essstörungen. In: Flaake, Karin; Vera King (Hrsg.). Weibliche Adoleszenz: Zur Sozialisation junger Frauen. Frankfurt am Main und New York, S. 240-253.

Strafgesetzbuch (StGB). Stand: 1. April 1998. 31. Auflage, München.

Teuber, Kristin. 1999. „Ich blute also bin ich": Selbstverletzung der Haut von Mädchen und jungen Frauen. 2. Auflage, Pfaffenweiler.

Tewes, Uwe; Klaus Wildgrube (Hrsg.). 1999. Psychologie-Lexikon. 2., überarbeitete und erweiterte Auflage, München/Wien/Oldenburg.

Thiersch, Hans. 1997. Lebensweltorientierte Soziale Arbeit: Aufgaben der Praxis im sozialen Wandel. 3. Auflage, Weinheim.

Trautmann-Sponsel, Rolf Dieter. 1988. Definition und Abgrenzung des Begriffs „Bewältigung". In: Brüderl, Leokadia (Hrsg.). Theorien und Methoden der Bewältigungsforschung. Weinheim und München, S. 14-24.

Trojan, Alf. 1999. Soziale Netzwerke und Netzwerkförderung. In: Bundeszentrale für Gesundheitliche Aufklärung (Hrsg.). Leitbegriffe der Gesundheitsförderung: Glossar zu Konzepten, Strategien und Methoden in der Gesundheitsförderung. Reihe „Blickpunkt Gesundheit" (Band 3). 2., aktualisierte Auflage, Schwabenheim an der Selz, S. 104f.

Trube-Becker, Elisabeth. 1987. Gewalt gegen das Kind: Vernachlässigung, Misshandlung, Sexueller Missbrauch und Tötung von Kindern. 2., überarbeitete Auflage, Heidelberg.

van der Loo, Hans; Willem van Reijen. 1992. Modernisierung: Projekt und Paradox. München.

von Troschke, Jürgen. 1979. Gesundheitserziehung. In: Blohmke, Maria (Hrsg.). Ökologischer Kurs: Teil Sozialmedizin. Stuttgart, S. 124-139.

Vogt, Irmgard. 1994. Grenzenlose Schönheit - Grenzenlose Körper. In: Forschungsinstitut Frau und Gesellschaft (Hrsg.). Zeitschrift für Frauenforschung - Themenschwerpunkt: Frauengesundheit, Frauenkrankheit, Körperlichkeit. Bielefeld, S. 98-105.

Waller, Heiko. 1996. Gesundheitswissenschaft. Eine Einführung in Grundlagen und Praxis. 2., überarbeitete Auflage, Stuttgart/Berlin/Köln.

Waller, Heiko. 1997. Sozialmedizin: Grundlagen und Praxis. 4., überarbeitete und erweiterte Auflage, Stuttgart/Berlin/Köln.

Wardetzki, Bärbel. 1995. Weiblicher Narzissmus: Der Hunger nach Anerkennung. 6. Auflage, München.

Weber, Hannelore. 1997. Zur Nützlichkeit des Bewältigungskonzeptes. In: Tesch-Römer, Clemens; Christel Salewski; Gudrun Schwarz (Hrsg.). Psychologie der Bewältigung. Weinheim, S. 7-16.

Wendt, Almuth. 1995. Gesundheitspsychologie: Diagnostik von Bewältigungsverhalten. Landau.

Willmann, Helmut. 1990. Langenscheidts Taschenwörterbuch Englisch: Erster Teil Englisch-Deutsch. In: Messinger, Heinz; Gisela Türck; Helmut Willmann. Langenscheidts Taschenwörterbuch Englisch. Berlin u.a., S. 8-688.

# Frauen und Gesundheit

Sabine Hering / Gudrun Maierhof
## Die unpässliche Frau
## Sozialgeschichte der Menstruation und Hygiene

In diesem reich illustrierten Buch werden die historischen und bis heute gängigen Vorurteile und Mythen über die Menstruation aufgezeigt. Viele der abstrusen Überzeugungen, etwa von der Giftigkeit des Menstruationsblutes, halten sich hartnäckig und sorgen noch heute für „Berufsverbote" in der Lebensmittelindustrie.

Nachdem die erste Auflage 1991 rasch vergriffen war, legen die Autorinnen nun endlich eine zweite, aktualisierte Ausgabe vor. 1991 urteilte Siggi Lehmann vom Hessischen Rundfunk: „Kenntnisreich, dabei sehr lesbar und verständlich (...) Ein gelungenes Buch über ein heikles Thema. Auch für Männer verkraftbar."

2002, 183 S., 19,90 Euro, ISBN 3933050-99-5

Marion Hulverscheidt
## Weibliche Genitalverstümmelung
### Diskussion und Praxis in der Medizin
### während des 19. Jahrhunderts im deutschsprachigen Raum

Weibliche Genitalverstümmelung wird in der öffentlichen Diskussion als barbarischer Akt innerhalb der ›minderen Zivilisation‹ einiger afrikanischer Ethnien wahrgenommen. Kaum jemand weiß, dass sie zur Behandlung der Masturbation, der Hysterie und anderer vermeintlich typischer weiblicher Störungen auch im deutschsprachigen Raum praktiziert und sehr kontrovers diskutiert wurde. Marion Hulverscheidt stellt diesen fast vergessenen Abschnitt der Medizingeschichte anhand von Fallbeispielen in klarer und sensibler Sprache erstmals umfassend dar.

2002, 192 S., 21 Euro, ISBN 3-935964-00-5

Mabuse-Verlag GmbH ● Postfach 90 06 47 ● 60446 Frankfurt am Main
Tel.: 069 - 70 79 96-13 ● Fax: 069 - 70 41 52 ● www.mabuse-verlag.de

# Frauen und Gesundheit

TERRE DES FEMMES (Hrsg.)
## Schnitt in die Seele
Weibliche Genitalverstümmelung – eine fundamentale
Menschenrechtsverletzung

Von weiblicher Genitalverstümmelung, sind weltweit mehr als 150
Millionen Frauen und Mädchen betroffen. AutorInnen aus zehn
Ländern berichten im vorliegenden Buch von der Aufklärungsarbeit
gegen die Praktik in Afrika bis hin zur Beratung von MigrantInnen in
Deutschland, eröffnen einen Blick auf die Asylproblematik in
unserem Land, aber auch auf den strafrechtlichen Umgang mit geni-
taler Verstümmelung in Afrika und Europa.
„Parteiisch und sensibel." (Heike Koehn 1999 in *der überblick* über
den Vorläufer des vorliegenden Buches)

2003, 330 S., 12,90 Euro, ISBN 3-935964-28-5

Martina Böhmer
## Erfahrungen sexualisierter Gewalt in der
## Lebensgeschichte alter Frauen
Ansätze für eine frauenorientierte Altenarbeit

Viele Verhaltensweisen, Reaktionen und Botschaften von alten Frauen
in Altenheimen und auch in der ambulanten Pflege weisen darauf hin,
daß im Pflegekontext traumatisierende Erfahrungen durch erlebte
sexualisierte Gewalt aktualisiert werden können.
Vergewaltigung in der Ehe, Zwangsprostitution, frauenspezifische
Kriegserlebnisse und auch „alltägliche" sexualisierte Gewalt wurden
möglicherweise nie thematisiert oder aufgearbeitet. Die Autorin fordert ein anderes Verständnis für alte Frauen, ein anderes Umgehen mit
ihnen - in Pflegesituationen, Diagnosestellung und Behandlung.

2. Auflage 2001, 136 Seiten, 15,90 Euro, ISBN 3-933050-16-2

Mabuse-Verlag GmbH • Postfach 90 06 47 • 60446 Frankfurt am Main
Tel.: 069 - 70 79 96-13 • Fax: 069 - 70 41 52 • www.mabuse-verlag.de